Amos Daragon,
le crépuscule des dieux

Dans la série Amos Daragon :

Amos Daragon, porteur de masques, roman, 2003.

Amos Daragon, la clé de Braha, roman, 2003.

Amos Daragon, la malédiction de Freyja, roman, 2003.

Amos Daragon, la tour d'El-Bab, roman, 2003.

Romans pour adultes chez le même éditeur :

Pourquoi j'ai tué mon père, roman, 2002.

Marmotte, roman, réédition, 2002 ; première édition, 1998, Éditions des Glanures.

Mon frère de la planète des fruits, roman, 2001.

BRYAN PERRO

Amos Daragon, le crépuscule des dieux

Les Éditions des Intouchables bénéficient du soutien financier de la SODEC, du Programme de crédits d'impôt du gouvernement du Québec, du PADIÉ et sont inscrites au Programme de subvention globale du Conseil des Arts du Canada.

LES ÉDITIONS DES INTOUCHABLES
1463, boulevard Saint-Joseph Est
Montréal, Québec
H2J 1M6
Téléphone: (514) 526-0770
Télécopieur: (514) 529-7780
info@lesintouchables.com
www.lesintouchables.com

DISTRIBUTION: PROLOGUE
1650, boulevard Lionel-Bertrand
Boisbriand, Québec
J7H 1N7
Téléphone: (450) 434-0306
Télécopieur: (450) 434-2627

Impression: Transcontinental
Infographie: Olivier Boissonnault
Illustration de la couverture : Jacques Lamontagne
Maquette de la couverture: François Vaillancourt

Dépôt légal: 2003
Bibliothèque nationale du Québec
Bibliothèque nationale du Canada

ISBN 2-89549-089-9

Prologue

Depuis l'aube des temps, les hommes du Nord racontent l'histoire du Ragnarök. Cette légende est aussi appelée « Le crépuscule des dieux ». Elle relate les événements qui mèneront le monde à l'apocalypse. Les vieux conteurs et les gardiens des traditions ancestrales se gardent bien de raconter en détail ce qui provoquera l'unité des forces du mal et le grand cataclysme. Fondamentalement fragile et imparfait dès sa création, le monde subira de grandes transformations lorsque renaîtra la race des Anciens, la race des bêtes de feu.

Depuis quelque temps, on raconte aussi qu'une montagne s'est mise à rugir dans le nord du continent. Plusieurs témoins rapportent de terribles attaques de gobelins sur des villes et des villages. Les rois vikings, Harald aux Dents bleues, Ourm le Serpent rouge et Wasaly de la Terre verte, ont décrété qu'une grande armée serait constituée pour arrêter l'enracinement du mal dans les lointaines contrées nordiques.

Devant toute cette agitation, les sages se grattent la barbe, car ils savent que le Ragnarök est commencé et que seul un miracle pourra les sauver.

Dans le grand livre des prophéties, il est écrit qu'un elfe viendrait rétablir l'équilibre. Accompagné d'un grand guerrier, il détruirait la menace et rétablirait la paix sur la terre de glace. Mais chacun sait que les elfes ont disparu et que les grands héros n'existent que dans les contes. La menace, elle, est bien là. Elle gronde dans sa caverne et amasse un trésor pour y pondre ses œufs. Les étoiles ont parlé et le destin du monde semble scellé.

Un dragon vient de naître dans la montagne de Ramusberget. Bientôt, ils seront des milliers.

1
La tête de bouc

Une neige frivole tourbillonnait sur Bratel-la-Grande. Le royaume des chevaliers de la lumière se préparait lentement pour l'hiver. Dans la grande capitale, les habitants coupaient du bois, calfeutraient les fenêtres des maisons et vérifiaient l'état de leur cheminée en prévision du temps froid. Des ramoneurs, noirs de suie et essoufflés, couraient d'un côté à l'autre des rues, plus passantes à cette époque de l'année. Ils avaient à peine le temps de terminer un travail qu'un autre client les hélait. Leur grande échelle sur l'épaule, les hommes allaient de maison en maison en empochant quelques pièces à chaque arrêt.

Sur la place du marché, les femmes se disputaient les derniers bouts de laine qui restaient pendant que les hommes regardaient le ciel en y allant de leurs prédictions sur la nouvelle saison à venir. Tout le monde s'accordait pour dire que l'hiver serait difficile. Il y aurait peu de neige, mais beaucoup de froid. La nature ne ment pas et les signes de ce présage se voyaient partout. Les abeilles avaient fait leurs essaims plus bas que d'habitude. Les animaux de la forêt avaient un pelage plus épais. Les étourneaux, pourtant habitués aux rigueurs d'un temps glacial, avaient migré plus au sud. L'air humide avait une lourdeur inhabituelle, et plusieurs enfants avaient déjà attrapé la grippe.

Les chevaliers de la lumière de Bratel-la-Grande portaient tous des peaux de loup sous leur armure, mais le froid les pénétrait quand même. Lorsqu'ils s'enfonçaient dans la cité pour effectuer leurs traditionnelles rondes, on les voyait grelotter, se frotter les mains ou se pencher sur leur cheval pour profiter un peu de sa chaleur.

Depuis l'attaque des gorgones qui avait complètement détruit la ville, une nouvelle solidarité était née entre les habitants. Comme le phénix, Bratel-la-Grande renaissait de ses cendres. La population avait été durement éprouvée et se serrait maintenant les coudes. Barthélémy, le nouveau seigneur, régnait sur son peuple avec candeur et justice. Il avait aidé les hommes à reconstruire une grande partie de la ville. Autrefois le joyau du royaume, cette cité redevenait peu à peu la capitale impressionnante qu'elle avait été. Les larges murs qui l'entouraient avaient été réparés et renforcés. De nouvelles tours d'observation, plus hautes et plus solides, s'élevaient maintenant sur les murailles. Les vigiles, ayant désormais un meilleur point de vue, contemplaient tous les jours avec bonheur le spectacle du coucher de soleil. La lumière des derniers rayons caressait les grandes plaines cultivées encerclant la ville, puis l'astre du jour disparaissait derrière la ceinture de montagnes en une explosion de couleurs vives.

C'est sur la route de la forêt, à quelques lieues de la cité, que les chevaliers du premier poste de garde reçurent une étrange visite. Ils virent arriver un homme, un vieillard étrange. Il avait la tête rasée et portait un mince bonnet de laine blanc tricoté finement qui ressemblait, de loin, à de la dentelle. Le front large et les yeux légèrement bridés, il avait de profondes rides qu'accentuait la couleur basanée de sa peau. Le voyageur avait été bruni par le soleil et longtemps fouetté par le vent. On sentait peser sur lui de nombreuses heures de marche dans des conditions difficiles. Il avait le dos légèrement courbé et une longue barbe noire, tressée en une natte d'environ deux mètres, s'enroulait autour de son cou et lui servait de foulard. Il portait une large robe de couleur orange évoquant vaguement une toge de moine. Ses habits étaient impeccables. Il n'y avait pas une tache, pas une seule déchirure ou un simple fil tiré. Malgré la neige qui recouvrait la route, le vieillard marchait pieds nus. Chacun de ses pas faisait fondre les petits flocons autour de ses orteils. Un simple sac sur le dos, il s'aidait dans sa marche avec une grande lance de bois dont la pointe blanche, probablement faite d'ivoire, était vrillée.

— Arrêtez ! lança un des deux gardiens du poste. Déclinez votre nom, votre provenance et les raisons qui vous amènent à Bratel-la-Grande.

Le vieillard sourit en haussant les épaules. Il avait les dents noires, complètement pourries. Son haleine dégageait une forte odeur de poisson, et le chevalier, surpris par la puanteur, recula de deux pas en agitant sa main devant sa figure. Visiblement, le vieil homme était un étranger et il ne connaissait pas la langue du pays.

— Passez, vieil homme ! dit l'autre chevalier en lui faisant un large signe.

Puis, s'adressant à son partenaire, il s'exclama :

— Ce bonhomme ne sera sûrement pas une grande menace pour la ville ! Regarde-le, il boite de la jambe gauche... Pauvre vieux, va !

Le vieillard sourit encore une fois à pleines dents. Il avait compris qu'il était le bienvenu dans la cité et cela l'enchantait. Le voyageur passa poliment le poste de garde en remerciant les gardiens un bon nombre de fois dans sa langue maternelle, puis il se dirigea vers les grandes portes de la ville. Un autre poste de garde, celui-là comptant une vingtaine de chevaliers, apparut devant ses yeux. Il y avait une file de marchands, de voyageurs et de citoyens qui patientaient, eux aussi, pour entrer. Les habitants de Bratel-la-Grande avaient toujours cru leur ville imprenable, mais, depuis l'épisode des gorgones, ils savaient que ce n'était pas le cas. Les chevaliers exerçaient un contrôle serré sur le va-et-vient dans la capitale. Tout le monde l'avait échappé belle et plus jamais une telle catastrophe ne devait se produire.

Ce fut bientôt le tour du vieillard de passer les grandes portes. Un chevalier, petit et chétif, s'avança vers lui et demanda :

— Votre nom, votre nationalité et le but de votre visite à Bratel-la-Grande ?

Le voyageur sourit gentiment et haussa de nouveau les épaules. Le gardien s'exclama :

— MON DIEU ! vous avez une haleine de cheval ! Et ne comprenez-vous pas notre langue ?

Le vieillard continuait de sourire, mais il

avait maintenant une expression toute naïve de confusion. Il ne comprenait manifestement pas ce que lui voulait le petit homme.

— Très bien, dit le chevalier en prenant quelques notes, laissez-nous votre arme et vous la reprendrez à votre sortie de la ville ! Votre arme… là… donnez-moi votre arme… je veux votre arme… ici… là… votre arme, là !

Le vieillard finit par comprendre et laissa volontiers sa grande lance au poste de garde. On lui donna une petite plaque de métal marquée d'un numéro et il s'engouffra dans la ville. Fatigué par sa longue route, l'homme s'arrêta au coin d'une rue moins passante que les autres, sortit de son bagage un petit bol de bois qu'il plaça devant lui et s'assit par terre. Il entonna alors, aussi faux que fort, un chant traditionnel de son pays. Les passants, intrigués par ce mendiant qui chantait comme une crécelle, lui donnèrent rapidement quelques pièces non pour l'encourager, mais pour faire cesser cette cacophonie qui leur écorchait les oreilles. Content, le vieillard sourit de toutes ses dents pour remercier ses bienfaiteurs, les salua plusieurs fois avec de petits signes de tête et quitta les lieux sous les applaudissements de soulagement des commerçants du coin.

Le vieil homme se trouva bien vite devant une auberge appelée La tête de bouc. Son propriétaire avait tant bien que mal reconstruit la partie qui avait été démolie durant l'invasion des gorgones. Le bâtiment était convenable, mais sans plus. Il y avait encore des trous mal bouchés dans les murs, et le toit de chaume semblait fragile. Le voyageur, attiré par une bonne odeur de soupe, pénétra dans l'auberge et prit place à une table. Une dizaine d'habitués, devenus silencieux, le regardèrent s'asseoir d'un air dédaigneux. Les discussions reprirent au bar dans un inquiétant murmure. L'endroit était sombre et lugubre. L'intérieur puait la moisissure et des dizaines de mouches, cherchant la chaleur, volaient çà et là au-dessus des tables et des clients. Le patron s'approcha du vieux et lui dit :

— On ne sert pas les étrangers ici… Partez !

Le vieillard fit son plus beau sourire et tendit candidement son bol de bois vers l'aubergiste. Tout l'argent qu'on lui avait donné, un instant plus tôt dans la rue, était dans le bol.

— Eh bien, tu paies chèrement ta soupe, vieux croûton ! Très bien… tu auras du bouillon ! Tu veux de la bonne sou-soupe, vieux débris ? Oui… de la bonne sou-soupe ! fit le patron en se moquant de son client.

Comme un enfant, le vieil homme rit de bon cœur lorsqu'il entendit l'aubergiste prononcer le mot « sou-soupe ». Il le répéta plusieurs fois en s'amusant du son qu'il produisait dans sa bouche. Le patron prit le bol de bois, en retira l'argent et servit le vieillard. En repassant devant ses compères du bar, il leur lança :

— Ce vieux est complètement gâteux ! Il a peut-être encore quelques pièces sur lui... profitez-en... Les temps sont durs et l'hiver sera long !

Trois hommes se levèrent. Ils avaient de courts bâtons dans les mains. Le vieillard, penché sur sa soupe, ne semblait rien voir de ce qui se tramait dans son dos. Il mangeait tranquillement son bouillon en faisant un bruit sec avec sa bouche après chaque cuillérée. Trois mouches vinrent virevolter nerveusement sur la table au moment où les agresseurs arrivèrent près du vieillard. Celui-ci, sans lever la tête, tua avec le dos de sa cuillère à soupe les trois insectes en trois coups précis. Son mouvement avait été si rapide que les mouches n'avaient pas eu le temps de fuir. Trois petits coups exécutés avec une parfaite dextérité avaient eu raison d'elles. Vu la vitesse de ces insectes, c'était un vrai miracle ! Les trois hommes, surpris et maintenant moins sûrs d'eux, s'arrêtèrent dans leur élan. Le vieillard essuya le dos de sa cuillère sur sa robe orange et termina lentement sa soupe sans s'occuper des trois hommes qui, derrière lui, se demandaient s'ils devaient le frapper ou fuir à toutes jambes.

Encouragé par les autres habitués de la taverne, l'un des agresseurs leva théâtralement son bâton. À ce moment précis, le vieillard bondit sur ses pieds et se retourna vers ses assaillants. Il sourit tendrement en exposant ses dents pourries et montra son auriculaire aux trois vauriens. Il semblait vouloir dire que, avec un seul doigt, il viendrait à bout des trois hommes. Irrités par l'audace de cet étranger, les gredins passèrent à l'attaque.

Le vieillard évita habilement le premier coup et redirigea d'un petit mouvement d'auriculaire le bâton de son adversaire vers le genou d'un autre malotru. Un bruit de fracture se fit entendre dans l'auberge, suivi d'une longue plainte entrecoupée de jurons. Toujours avec son petit doigt, le voyageur creva un œil au deuxième voleur. Puis, dans la foulée, il introduisit son auriculaire dans le nez du troisième comparse et lui fit faire une pirouette dans les airs. La brute s'effondra sur le plancher, assommée.

En trois mouvements, le vieil homme avait envoyé au tapis trois costauds dans la force de l'âge. Il regarda ses adversaires qui gisaient à terre, puis il leva la tête vers les hommes restés au bar. En guise d'invitation au combat, il leva calmement les deux mains et montra ses… deux auriculaires! En moins de cinq secondes, il ne restait plus personne dans l'auberge. Les clients avaient fui par les portes et les fenêtres, par la trappe de la cave et les cuisines. Seul le patron, paralysé derrière le comptoir, était resté à sa place. Ses dents claquaient comme s'il faisait face au plus terrible des monstres. Même les gorgones, pourtant horribles et dégoûtantes, ne lui avaient pas fait un tel effet.

Le vieillard sauta agilement derrière le comptoir, posa délicatement le bout de son index sur le front de l'aubergiste, ferma les yeux et dit, avec un terrible accent:

— Amos Daragon…

Une image prit soudainement forme dans la tête du vieil homme: il vit clairement Amos et ses parents assis à une table de l'auberge. Il lisait dans les pensées du propriétaire des lieux. Il regarda, comme dans un film, la scène où l'aubergiste avait essayé d'escroquer la famille Daragon, l'arrivée du chevalier Barthélémy et la ruse utilisée par Amos pour se sortir de ce pétrin. Tous ces détails lui furent révélés par l'esprit de l'aubergiste. Content de cette piste, le vieillard retira son doigt du front de l'hôtelier véreux. Celui-ci s'effondra mollement sur le sol, complètement épuisé.

« On ouvre difficilement un esprit obtus », se dit

le vieil homme dans sa langue maternelle.

Il se pencha vers le corps inanimé de l'aubergiste, reprit son argent dans la poche de son tablier, puis lança en prenant un air dégoûté :

— Sou-soupe ...EURK!

L'étrange vieillard quitta discrètement l'auberge La tête de bouc pour se diriger sans tarder vers le nord.

2

Les bonnets-rouges

La ville de Berrion s'activait lentement dans le froid du petit matin. Ici aussi, on faisait les derniers préparatifs pour accueillir les mois d'hiver à venir. Au château, lieu de résidence de la famille Daragon, le seigneur Junos avait demandé que l'on répare quelques cheminées en piteux état et que l'on ajoute plusieurs tapisseries aux murs afin de retenir la froide humidité dégagée par les pierres.

Malgré le calme et la paix qui régnaient sur ses terres, Junos était inquiet. Depuis que Lolya, la jeune reine des Dogons, avait quitté la ville pour retourner dans son pays, Amos se portait mal. Il n'avait cessé de dépérir et, depuis bientôt deux mois, son état s'aggravait dangereusement. Les meilleurs médecins du royaume l'avaient examiné, mais sans succès. Leurs médicaments ne faisaient aucun effet. Urban et Frilla Daragon, les parents du jeune porteur de masques, ne savaient plus quoi faire.

Amos n'arrivait pas à dormir paisiblement. Son sommeil était peuplé de fantômes et de squelettes. Des images d'une gigantesque ville, habitée par une foule de spectres, revenaient régulièrement dans ses rêves. Il y marchait en cherchant quelque chose. Le garçon pouvait sentir qu'une grande menace planait sur lui et sur le monde, mais il ne pouvait pas la définir. Il s'éveillait en sueur avec la certitude qu'on venait de le tuer, que le grand couteau de son amie Lolya lui traversait le corps. Amos mangeait peu et vomissait souvent. Il essayait de faire la sieste, mais toujours les cauchemars l'assaillaient. Des images horribles de gens souffrants et désespérés sous un soleil de plomb le hantaient sans cesse. Parfois, il voyait l'ignoble figure d'un homme, un capitaine de bateau qui hurlait tout le temps des injures. Ces rêves lui rendaient la vie impossible. Dans la froideur de l'hiver naissant, Amos se sentait dépressif et abattu. Il toussait beaucoup, respirait mal et sortait peu de sa chambre. Frilla Daragon prodiguait à son fils des soins attentifs, mais, malgré cela, il s'affaiblissait de jour en jour.

Béorf, pour sa part, semblait dans une

forme éclatante. Le jeune hommanimal, fils adoptif des Daragon, avait engraissé encore de quelques kilos. Il était plus rond que jamais. Lui aussi se préparait, à sa façon, pour l'hiver. Il appartenait à la race des béorites qui avaient la particularité d'être capables de se transformer en ours à volonté. Béorf ressemblait à tous les autres garçons de son âge, mais il avait deux épais favoris blonds qui lui découpaient le visage et des sourcils qui se rejoignaient au-dessus du nez.

Béorf Bromanson, dont les parents avaient été condamnés à mort par Yaune le Purificateur, l'ancien seigneur de Bratel-la-Grande, vivait maintenant au château de Berrion. Sous la protection du seigneur Junos et comblé d'amour par sa nouvelle famille, il avait trouvé en Amos beaucoup plus qu'un ami. Il avait maintenant un vrai frère. C'est pour cette raison que Béorf passait ses nuits auprès de lui et surveillait attentivement, de jour en jour, son état de santé.

Comme Amos avait beaucoup de mal à s'endormir, les deux garçons discutaient longuement ensemble. Le passage de Lolya au château avait provoqué d'étranges choses, et Béorf avait la conviction que la maladie de son ami y était reliée d'une façon ou d'une autre.

Ce matin-là, alors qu'une faible neige tombait en virevoltant sur Berrion, Béorf tira les rideaux de la chambre d'Amos et lui dit sur un ton déterminé:

— Bon ! Il est temps de sortir d'ici... Habille-toi chaudement, nous allons marcher un peu. J'ai besoin d'exercice et toi aussi. Tes parents et Junos sont d'accord ! L'air pur de cette belle matinée te fera sûrement du bien. Viens, je vais t'aider...

Amos leva difficilement la tête et, après quelques secondes d'hésitation, il se glissa hors du lit. Aidé par Frilla et Béorf, il tressa ses cheveux en une longue natte, s'habilla convenablement en ajustant son armure de cuir noir par-dessus quelques peaux de renard et mit sa boucle d'oreille en forme de tête de loup. Le garçon avait les traits tirés, les yeux cernés. Son teint était verdâtre et il avait du mal à respirer. En marchant vers la grande porte du château, il se confia à Béorf:

— Je ne l'ai dit à personne, mais je pense que je rejette peut-être le masque du feu...

— Qu'est-ce que tu veux dire? demanda le gros garçon. Quand tu as intégré le masque de l'air, tout s'est bien passé ! Pourquoi aurais-tu des problèmes avec celui du feu?

— Comme tu le sais, je dois encore trouver deux masques, celui de l'eau et celui de la terre. Je dois aussi chercher quatorze pierres de puissance pour en sertir les masques. Comme ceux-ci disparaissent sur mon visage et s'intègrent à mon corps en me donnant leur magie, je pense que je suis peut-être encore trop jeune pour en absorber autant. Le masque de l'air et sa première pierre m'ont causé peu de tort, mais celui du feu, serti lui aussi de sa première pierre, me consume de l'intérieur.

— Que veux-tu dire ? demanda Béorf, inquiet.

— J'ai parfois l'impression que mes entrailles sont en feu, fit Amos. J'ai très mal. J'ai des bouffées de chaleur qui me donnent l'impression que toute l'eau de mon corps s'évapore. Je me retrouve sans salive et je peux boire plusieurs litres d'eau sans ressentir le moindre soulagement.

— Pourquoi n'en parles-tu pas à tes parents ?

— Je ne veux pas les inquiéter, soupira Amos. Toute cette histoire de porteur de masques, ma mission de rétablir l'équilibre entre le bien et le mal, mes cauchemars et mon inexplicable maladie les troublent déjà beaucoup trop. Je le vois bien. Mes parents sont des gens simples, des artisans voyageurs qui ne savent pas trop que penser des derniers événements. Ils sont complètement dépassés par ce qui m'arrive… et je dois t'avouer que je le suis aussi. Je sens que les choses se précipitent pour moi… et… enfin, je ne suis plus tout à fait moi !

Plongés dans leurs pensées, les deux amis marchaient maintenant en silence. Ils dépassèrent la place du marché, se dirigeant vers les grandes portes qui menaient à l'extérieur de la ville fortifiée de Berrion. Le temps était frais et Amos respirait à pleins poumons l'air salutaire de cette douce matinée. Béorf, de plus en plus inquiet pour son ami, le regardait du coin de l'œil. Il vit avec plaisir qu'il reprenait peu à peu des couleurs.

Alors qu'il respirait profondément, Amos aperçut son père qui venait vers lui à cheval. L'homme avait une large barbe et un sourire éclatant. Il salua les garçons d'un énergique geste de la main. Dans ses yeux, on pouvait lire toute la fierté qu'il avait pour son fils. Comme il trottait vers Amos, le son sifflant d'une arbalète se fit entendre. Urban Daragon demeura quelques secondes en selle, puis dégringola mollement de son cheval. L'homme heurta violemment le sol. Glacé d'effroi, Amos courut vers son père. Béorf, sur ses gardes, tenta de voir d'où pouvait bien provenir ce son. Urban avait le carreau de l'arbalète planté dans la nuque. Il était mort sur le coup.

Béorf cria soudainement :

— Là ! Il est là ! Sur la muraille, Amos… Attention, il recharge !

Amos tourna la tête et vit une horrible

créature remettre un carreau dans son arbalète. D'un coup d'œil, il remarqua l'absence des gardiens qui normalement circulaient sur cette partie de mur. Ils avaient sûrement été surpris et tués dans leur ronde. La créature avait une forme humaine. Elle avait la peau brune et très sale, un immense nez aquilin, deux gros yeux globuleux et une bouche aux lèvres tombantes. Des crocs longs et fins saillaient de sa mâchoire inférieure. L'humanoïde avait de très longs bras et de courtes jambes. Sa tête aux larges oreilles pointues était recouverte d'un bonnet rouge qui dissimulait de longs cheveux blancs et clairsemés. Une armure de cuir grossier, des bottes de métal, un léger sac et une large ceinture à laquelle pendait un grand couteau rudimentaire complétaient le portrait de l'assassin.

La créature arma son arbalète et visa Amos. Celui-ci comprit rapidement que cet être répugnant avait tué son père par maladresse. C'était le porteur de masques qui était la cible du premier carreau. Urban avait malencontreusement traversé la trajectoire du projectile au mauvais moment.

L'arbalète libéra sa deuxième flèche en direction du garçon. Enragé, Amos poussa un cri retentissant en levant la main vers l'horrible créature. Une boule de feu sortit de son corps et vint se fracasser sur son ennemi en grillant au passage le carreau. L'humanoïde au bonnet rouge fut propulsé dans les airs et se consuma complètement avant de retomber au sol. Béorf, toujours aux aguets, hurla:

— Il y en a partout! ILS ENVAHISSENT LA VILLE!

Le jeune hommanimal se transforma en ours et courut vers le château pour sonner l'alarme. Il avait dit vrai: les rues regorgeaient de bonnets-rouges. Ceux-ci semblaient être soudainement sortis de nulle part. Ils avaient ouvert les portes de la ville et déferlaient comme une vague maudite dans les rues de Berrion. Ces monstres étaient armés de hallebardes et massacraient la population.

En regardant son père qui gisait au sol, sans vie, Amos fut pris d'une rage démesurée. Une bonne douzaine d'humanoïdes s'approchaient de lui en l'encerclant. Sans penser à ce qu'il faisait, le garçon ouvrit les bras en serrant les dents. Des flammes soutenues sortirent des paumes de ses mains. Tournant sur lui-même, Amos enflamma d'un coup ses adversaires.

Sur la place du marché, une cinquantaine de bonnets-rouges couraient d'un kiosque à l'autre en pillant les étals. Amos leva la main droite vers le ciel et poussa un cri chargé d'une incroyable furie. Un tourbillon de fumée noire se créa instantanément sur la place en soulevant les créatures, les présentoirs du marché, la fontaine et trois devantures de maison.

La population de Berrion, paniquée, fuyait aussi vite qu'elle pouvait. Une longue sonnerie de cor retentit dans toute la ville, et une centaine de chevaliers sortirent du château en galopant. Les bonnets-rouges entraient encore par milliers dans la cité. Ils dévalisaient les maisons et les boutiques. Ces affreuses créatures ne volaient que des objets d'or, d'argent, de cuivre ou de bronze. Les pierres précieuses, elles aussi, semblaient particulièrement leur plaire. Les humanoïdes tuaient sans distinction les hommes, les femmes et les enfants pour ensuite dépouiller les corps. Bagues, boucles d'oreilles, colliers, pierres de naissance et ceintures fines étaient systématiquement enlevés.

Dans cette armée de monstres, chacun semblait avoir un rôle très précis. Les bonnets-rouges portant des hallebardes exterminaient la population pendant que d'autres, simplement armés d'un couteau, pillaient la ville. Ces derniers remplissaient de grands sacs de tissu. Des subalternes, sans armes et sans bonnets, sortaient les sacs pleins de la ville et les ramenaient vides. Des sentinelles munies d'arbalètes assuraient la sécurité des porteurs de sacs et tuaient quiconque s'approchait d'eux. Ces monstres étaient organisés, efficaces et d'une cruauté inhumaine. Ils accomplissaient leur tâche sans haine ni mépris, sans joie ni plaisir, comme un travail indispensable à leur existence.

Le cyclone d'Amos, maintenant incontrôlable, ravageait la ville en emportant tout sur son passage. Des bonnets-rouges tombaient du ciel en se fracassant sur les toits. Certains étaient projetés au-delà des fortifications et allaient s'empaler sur les branches des arbres environnants.

Amos se fit soudainement agresser. Il fut renversé au sol, face contre terre. Dans son dos, trois créatures se préparaient à le tuer d'un coup de hallebarde. En essayant de se dégager, le jeune porteur de masques se transforma en torche humaine. L'étreinte des agresseurs se relâcha immédiatement et les bonnets-rouges, eux aussi en feu, s'enfuirent en poussant des hurlements. Amos, désespéré devant le spectacle macabre de la destruction de Berrion, cria de toutes ses forces:

— ÇA SUFFIT!

D'un coup, tout le bois de toute la ville, les planchers et les toits, les meubles, les manches des outils aussi bien que les armes, les chariots, les chars et les charrettes, les granges comme les arbres s'enflammèrent. Le cri du garçon avait provoqué, sans qu'il sache comment ni pourquoi, l'embrasement de la cité entière. Les pouvoirs du jeune porteur de masques étaient quintuplés par sa rage. La maladie qui le consumait depuis des mois explosait maintenant au grand jour en semant la destruction. La magie des éléments s'était emparée de son âme et galopait en lui à plein régime. Rien ne pouvait plus maintenant arrêter Amos, car lui-même ne se possédait plus.

Les habitants comme les bonnets-rouges se ruaient vers les portes de Berrion. La chaleur du brasier était insupportable. Amos dansait dans la cité comme un diable au milieu des enfers. Il poussait des hurlements de bête en tournant sur lui-même. Un jet de flammes sortait de sa bouche à chacune de ses expirations. Ses cheveux, défaits de leur natte, volaient autour de lui, soulevés par la chaleur de feu.

Le garçon était devenu fou ! Il regardait maintenant avec satisfaction la ville se consumer. Les flammes étaient constituées de milliers de petits hommes, à peine plus hauts que trois pommes, qui dévoraient Berrion. Ils mordaient dans le bois à pleines dents et se régalaient d'un aussi grandiose festin. Leur corps était liquide et composé presque uniquement de lave volcanique. Ils portaient tous des culottes courtes de charbons ardents, et quelques flammes bleues leur servaient de chevelure. Un de ces petits êtres s'avança vers Amos et s'agenouilla respectueusement devant lui. Fumant par la bouche et par les oreilles, il dit en élevant la voix pour se faire entendre dans le crépitement ambiant :

— Choisissez-nous, maître, nous sommes un bon peuple ! Un bon peuple ! Très bon peuple ! Nous n'avons pas de dieu et nous méritons un guide comme vous. Un bon peuple !

Amos, étourdi et incapable d'expliquer le spectacle qui se déroulait devant ses yeux, regarda le petit bonhomme de lave avec incompréhension. Il commençait à sentir une grande fatigue l'envahir. Hagard, il demanda :

— Mais de quoi parlez-vous ? Qu'est-ce qui se passe ici ?

— Nous sommes un bon peuple ! répliqua immédiatement le petit bonhomme de lave. Vous étiez un dieu... Le peuple du feu sait des choses. Nous savons des choses que vous avez oubliées...

— Qu'est-ce que j'ai oublié ? lança Amos, les yeux mi-clos et la tête lourde.

— La clé de Braha ! répondit nerveusement son interlocuteur. Le peuple du feu sait des choses sur le passé, sur l'avenir et sur ce qui n'a jamais existé ! Le feu et l'air sont en vous ! Devenez notre dieu, retournez à Braha et devenez notre dieu ! Nous sommes un bon peuple ! Un bon peuple, je vous dis !

Le porteur de masques sentit alors une extrême fatigue l'envahir. Ses jambes n'étaient plus capables de le porter. Tout son corps fut attiré vers l'arrière et Amos tomba lourdement à terre, inconscient.

3
Le retour au bois de Tarkasis

Amos ouvrit péniblement les yeux. Il était couché dans une clairière de campanules. Partout autour de lui, de jolies petites fleurs bleues ressemblant à des clochettes tapissaient le sol. Le garçon portait un large vêtement finement tissé de mousse et de lin. Il leva la tête et vit un groupe de fées bleues qui étaient assises sur son torse. Mesurant à peine quelques centimètres, elles le regardaient avec curiosité. Elles avaient de longues ailes délicates et de petites oreilles pointues. Un œil non averti les aurait facilement confondues avec des libellules. Amos, hésitant, demanda:

— Mais… où suis-je?

Une des petites fées bleues prit son envol et vint se placer au-dessus de son visage, battant plus vite des ailes pour faire du sur-place. Elle examina ses yeux et dit :

— As-tu entendu les cloches des campanules, jeune mortel ?

— Pardon fit Amos. Je ne sais pas de quoi vous parlez…

— Il ne sait pas de quoi je parle ! lança la fée en riant à ses camarades. Ceux qui entendent les cloches des campanules s'en souviennent, mais… pas pour longtemps !

Toutes les fées assises sur le garçon éclatèrent d'un rire léger et cristallin, puis s'envolèrent prestement en laissant derrière elles de minces traînées de lumière.

— Tu dois savoir, reprit le petit être surnaturel, que les fleurs qui t'entourent s'appellent des « clochettes de la mort ». Celui qui entend tinter la campanule entend le glas de ses funérailles. C'est une fleur magique aux grands pouvoirs de guérison. Tout le bois de Tarkasis tire sa force et sa puissance de cette clairière et…

— Je suis donc de retour chez Gwenfadrille ? demanda fébrilement Amos.

— Oui, lui répondit la fée. Mes sœurs sont allées l'avertir de ton réveil, et la souveraine doit nous attendre. Ne lui faisons pas perdre son temps... Allez! debout!

Amos se leva difficilement. Ses muscles, fort endoloris, ne lui obéissaient qu'au prix de grands efforts. Le garçon remarqua que, à l'endroit où il était couché, l'herbe de la clairière était tout aplatie.

« J'ai sûrement passé de longues journées ici », pensa-t-il.

Après une courte marche dans les bois, guidé par la petite fée bleue, Amos déboucha au centre du bois de Tarkasis. Il connaissait déjà l'endroit. C'est là qu'il avait reçu sa mission; là également que Gwenfadrille lui avait donné le masque de l'air. Il reconnaissait les sept dolmens disposés en cercle et les dizaines de chaises en bois aux formes insolites. À sa première visite, il y avait de grandes et de petites fées, de vieux personnages poilus, de jolies druidesses et plusieurs nains étranges et tout ridés. Aujourd'hui, la place du conseil était vide.

Amos prit une chaise comme le lui suggérait la fée bleue. Devant lui, Gwenfadrille apparut dans un éclat de lumière. La grande fée avait, elle aussi, des oreilles pointues et une ample robe légère de couleur verte. Ses longs cheveux blonds avaient été rasés. Elle était maintenant tout à fait chauve. La souveraine sourit tendrement au garçon, vint s'asseoir près de lui et dit:

— Gwenfadrille est contente de te voir, jeune porteur de masques !

Amos se rappela que Gwenfadrille parlait toujours d'elle à la troisième personne. Il demanda :

— Qu'est-il arrivé à vos cheveux ?

— Gwenfadrille les a sacrifiés pour protéger son royaume des bonnets-rouges. Les cheveux d'une fée portent en eux une grande magie, et la souveraine de ce royaume a dû les disperser autour de sa forêt pour mieux la protéger. Ne t'en fais pas, jeune ami, les cheveux de Gwenfadrille ne repousseront plus jamais, mais elle aime beaucoup se voir ainsi.

— Vous êtes encore plus belle ! complimenta aimablement Amos.

— Tu es gentil, lança la reine en souriant. Gwenfadrille a beaucoup d'affection pour toi, mais elle doit maintenant t'annoncer de mauvaises nouvelles.

— Je sais, dit Amos en baissant la tête et en serrant les poings, mon père est mort et je jure que...

— Calme-toi ! ordonna la reine sur un ton ferme. Tes émotions ont déjà causé une grande catastrophe à Berrion, et Gwenfadrille ne désire pas voir sa forêt brûler. Laisse-la t'expliquer...

Amos hocha la tête en guide de réponse et écouta attentivement le récit de la reine.

— La souveraine de Tarkasis doit d'abord t'apprendre qui sont les bonnets-rouges. Ces créatures du mal comptent parmi les plus cruels et les plus malfaisants des anciens gobelins de la Terre. Ils vivent par milliers dans les vieux châteaux en ruine, choisissant ceux dont le passé est marqué par le vice, l'impureté et la souillure. Ils teignent leur bonnet dans le sang des innocents qu'ils massacrent. Ces effroyables gobelins sont disciplinés, organisés et très efficaces au combat. Ils ne craignent pas la mort, ni la souffrance. De plus…

— Mais pourquoi ont-ils attaqué Berrion? l'interrompit Amos.

— Comme j'allais te le dire, continua Gwenfadrille, ces bonnets-rouges sont des pillards. Ils sont en train de constituer un trésor, une montagne d'or. Je vois dans ton regard que tu brûles de me poser une question… eh bien, vas-y!

— Je ne sais pas comment vous dire cela, hésita le garçon, mais… j'ai la certitude qu'ils sont à la solde d'un dragon et qu'ils amassent un trésor qui lui servira de lit. Est-ce que je me trompe?

Gwenfadrille eut un léger rictus et dit:

— Tu es surprenant, mon jeune ami! Comment sais-tu cela?

— Je ne sais pas, avoua sincèrement Amos.

Depuis quelque temps... bien... en vérité, c'est depuis le jour où Lolya est arrivée à Berrion. Je savais qu'elle était possédée par une force maligne et je lui ai arraché une pierre dans la gorge... Enfin, tout cela est très confus et je n'arrive pas à l'expliquer clairement... J'ai des prémonitions. Je sais ce qu'il faut faire, le moment où il faut le faire, mais je ne sais pas d'où me viennent ces informations!

— Écoute, jeune porteur de masques, reprit très sérieusement la souveraine. Tu as raison. Des elfes nous ont informées qu'un dragon a vu le jour dans le nord du continent, dans le pays des glaces. Nous pensions toutes que cette race de monstres avait été éradiquée de la surface de la Terre, mais elle est apparemment revenue. Les bonnets-rouges ont pillé Berrion et une multitude d'autres villes parce qu'ils sont en chasse pour le dragon. Les Anciens — c'est ainsi que l'on nommait le peuple des cracheurs de feu —, ont besoin de dormir sur un lit d'or, d'argent et de pierres précieuses pour pondre. Le dragon aura sans doute réussi à envoûter les gobelins pour se constituer un trésor. Tu dois maintenant suivre à la trace les bonnets-rouges pour qu'ils te mènent au dragon. Ensuite, tu agiras comme bon te semble. Ta mission est de rétablir l'équilibre du monde. Cette bête doit-elle survivre ou mourir? Ce sera à toi de le décider.

— Mais qu'est-il advenu de ma mère ? Et de Béorf et de Junos ? Je dois retourner en ville !

— La ville de Berrion n'existe plus, Amos, lui rappela doucement la grande fée. Tu l'as toi-même réduite en cendres. Tu ne t'en souviens pas ? Pour une raison que Gwenfadrille ignore, la rage causée par l'assassinat de ton père, alliée au pouvoir de tes deux masques, a déclenché un cataclysme sur la ville. Mes fées ont fouillé les décombres et elles n'ont pas retrouvé le corps de Junos. Par contre, nous savons avec certitude que les bonnets-rouges ont enlevé ta mère pour la vendre comme esclave. C'est une autre façon pour eux de gagner quelques pièces de plus pour leur maître.

— Et Béorf ? Est-il toujours en vie ?

— Oui, il est encore en vie ! dit la reine d'une voix rassurante. Tu lui dois une fière chandelle. Au péril de sa vie, il a plongé dans les flammes pour aller te chercher. Il t'a retiré de la ville en feu au moment où tout s'effondrait autour de toi. Il est immédiatement venu ici, à la lisière du bois de Tarkasis, pour demander de l'aide. Mastagane le druide nous avait déjà parlé de lui et nous l'avons reconnu à son arrivée dans le bois. Béorf était gravement brûlé et nous l'avons aidé à se remettre sur pied. Il est demeuré à l'orée du bois et il attend impatiemment ton retour. Nous avons ensuite amené ton corps dans la clairière des campanules pour te soigner.

— Béorf n'a pas été autorisé à entrer dans le bois ?

— Non, répondit fermement Gwenfadrille. Même s'il est un jeune hommanimal de confiance, nous jugeons que c'est mieux ainsi pour nous. D'ailleurs, tu es ici depuis dix jours ! Ton ami aurait été prisonnier du bois tout ce temps. Ta guérison a été difficile et c'est presque un miracle que tu sois encore en vie.

— Dix jours ! s'exclama Amos. Cela veut dire que les bonnets-rouges ont tout ce temps d'avance sur moi. Je dois les rattraper au plus vite ! Je n'ai plus de temps à perdre si je veux revoir ma mère un jour !

— Tu as raison, approuva la souveraine, mais avant que tu partes, Gwenfadrille a un cadeau pour toi et ton compagnon.

Sur ces mots, Gwenfadrille claqua des doigts. Une dizaine de petites fées bleues arrivèrent en volant. Elles portaient un petit coffre en bois rouge. La souveraine remercia les fées, prit le coffret et l'ouvrit. À l'intérieur, il y avait quatre oreilles pointues d'elfe en cristal. La reine se tourna vers Amos et lui tendit le cadeau en disant :

— Voici qui pourra t'aider ! Ces oreilles sont de puissants objets magiques qui te permettront de comprendre et de parler toutes les langues. Tu en auras besoin pour discuter avec les créatures que tu rencontreras. Ceci te facilitera beaucoup la tâche dans tes recherches ! Tu garderas deux oreilles pour toi et tu donneras les deux autres à Béorf. Elles vous protégeront aussi de tous les chants d'envoûtement.

— Elles sont magnifiques ! s'exclama Amos.

— Cependant, continua la souveraine, Gwenfadrille doit t'avertir d'une chose : ces objets se portent sur tes propres oreilles et les transformeront en véritables oreilles d'elfe.

Amos enfila les objets magiques sur ses oreilles, qui se moulèrent lentement à l'intérieur du cristal et prirent une forme effilée et pointue.

— Entends-tu ce que Gwenfadrille te dit ? demanda la grande fée.

— Oui, très bien ! répondit Amos.

— Savais-tu que la reine te parle maintenant en langage des fées ? poursuivit-elle en souriant.

— Et je vous réponds dans la même langue ! lança fièrement le garçon.

— Oui, tu parles notre langue avec un très charmant accent ! Il te sera possible d'enlever et de remettre les oreilles de cristal à ta guise. Cependant, rappelle-toi toujours de bien les dissimuler sous tes cheveux lorsque tu les porteras, sinon les gens penseront que tu es véritablement un elfe.

— Je m'en souviendrai, assura le jeune porteur de masques. Merci beaucoup !

— Pars maintenant, ta véritable quête commence aujourd'hui, conclut Gwenfadrille en quittant le cercle du conseil.

Amos fut guidé par une fée des campanules jusqu'au long couloir de branchages qui menait à la sortie du bois de Tarkasis. Il enleva son large vêtement de mousse et de lin et remit ses peaux et son armure de cuir noir. Le garçon, maintenant habitué au climat toujours chaud et constant du royaume de Gwenfadrille, eut un choc lorsqu'il atteignit l'orée du bois. Un froid humide le saisit. La neige couvrait entièrement le paysage.

Amos appela Béorf, mais sans succès. Les fées avaient été bien inhospitalières en abandonnant son ami aux rigueurs du froid, sans abri ni nourriture, pensa-t-il. Le porteur de masques examina le sol et vit des traces laissées dans la neige. En les suivant, il arriva devant un grand trou creusé sous un arbre, entre les racines. Lorsqu'il se pencha dans l'ouverture, il découvrit Béorf couché en boule au fond du trou. Le gros garçon ronflait paisiblement. Son corps était couvert d'une épaisse couche de poils. Amos éclata de rire et se dit à lui-même : « Sacré Béorf ! Il ne m'avait jamais dit que les hommes-ours hibernaient ! »

4
La route du nord

— Réveille-toi, Béorf! cria Amos pour la douzième fois en secouant vivement son ami.

L'hommanimal grogna un peu, se retourna sur lui-même, puis replongea aussi sec dans ses rêves. Amos sortit du trou et se gratta la tête. Comment réveiller un ours en hibernation? Soudain, une idée lui traversa l'esprit. Le garçon dit alors à haute voix:

— Hum... ! Encore des TARTES et du POULET ! Désolé, mais je n'ai plus faim ! Si seulement Béorf était là!... Il se RÉ-GA-LE-RAIT ! Tous ces FRUITS sauvages, cette VIANDE bien grillée... ces MONTAGNES DE NOIX et tout ce MIEL !

En un clin d'œil, la tête de Béorf apparut dans l'ouverture de la tanière. Il avait les cheveux en broussaille et les paupières encore collées par le sommeil. Il dit en bâillant :

— Tartes, poulet, noix et miel ?

— Eh bien ! s'exclama Amos en rigolant, j'ai trouvé l'unique façon de tirer un béorite de son hibernation ! Avec toi, Béorf, tout passe par l'estomac !

— Viande ? demanda le gros garçon, encore à moitié endormi. Je suis certain d'avoir entendu le mot « viande » !

— Allez… allez ! fit Amos en aidant son ami à se mettre sur ses pieds. Je connais une petite rivière non loin d'ici. Nous briserons la glace ! L'eau froide te réveillera !

— Oui, de la dinde froide ! Ce sera très bon ! s'exclama Béorf en trébuchant.

* * *

Béorf avait maintenant retrouvé ses esprits. Les deux garçons, affligés, pleurèrent ensemble la mort d'Urban. Assis au bord de la rivière, Amos parla longuement de son père. Il évoqua tous les bons moments qu'ils avaient vécus ensemble. Le jeune porteur de masques repensa à la tendresse et à l'amour d'Urban. Béorf, orphelin lui aussi, comprenait exactement ce que son ami ressentait et il tentait de le réconforter du mieux qu'il pouvait.

Après un moment, Amos se ressaisit :

— Bon ! nous devons maintenant nous lancer à la poursuite de ces maudits bonnets-rouges ! Ils ont enlevé ma mère pour la vendre comme esclave et je n'ai pas l'intention de les laisser faire…

— Que s'est-il passé à Berrion ? demanda Béorf. Te rappelles-tu que tu as réduit la ville en cendres ?

— Oui, répondit Amos en baissant la tête. La reine des fées m'a raconté ce qui était arrivé. Je ne sais pas ce qui s'est passé, Béorf. J'étais tellement en colère que l'émotion a quintuplé mes pouvoirs. J'ai tout détruit sans le vouloir…

— LE MULET ! JE L'AVAIS OUBLIÉ ! LE MULET ! cria soudainement Béorf en s'agitant. Suis-moi vite !

Béorf s'enfonça dans la forêt et Amos lui emboîta le pas. Après quelques minutes de course, les deux garçons arrivèrent tout près d'une petite maison abandonnée. Le jeune hommanimal ouvrit la porte et se retrouva aussitôt sur les fesses, renversé par un mulet enragé et affamé qui, visiblement, avait une envie pressante de prendre l'air. Béorf se releva d'un bond, courut vers l'arrière de la maison et jeta une grande quantité de foin, d'avoine et de céréales à l'animal. La bête commença à manger goulûment. Le gros garçon s'essuya le front et dit :

— J'ai eu peur qu'il soit mort de faim... Pauvre bête, je l'avais complètement oubliée!

— Explique-moi, Béorf, demanda Amos. Je ne comprends rien à ce que tu dis!

— Simple. Lorsque que les fées t'ont amené, je suis retourné en ville et j'ai récupéré tout ce qui pourrait m'être utile pour survivre. Junos nous a dit qu'il est né dans une chaumière près du bois de Tarkasis. Comme j'avais besoin d'un endroit pour y laisser ce que j'avais trouvé, j'ai cherché la maison de Junos et je suis tombé sur cette chaumière abandonnée. C'est peut-être la maison de son enfance... Mais si c'est celle-là, quelqu'un a dû y habiter depuis, puisqu'il reste de la nourriture pour les animaux. Toujours est-il que j'y avais aussi mis le mulet, mais, comme tu sais, je me suis endormi sous l'arbre et...

— Je vois! fit Amos en riant. Cette bête nous sera utile pour le voyage.

— Viens voir ce que j'ai trouvé! lança fièrement Béorf.

Il y avait dans la maisonnette de grandes tapisseries pouvant servir de tente, de la corde solide, des lampes à huile noircies, plusieurs épées émoussées, des vêtements, des flèches et deux arcs en parfait état, des contenants qui pouvaient faire office de gourdes, des casques de fer bosselés, quelques peaux roussies par le feu, des assiettes, des morceaux d'armures et de la cotte de mailles. Béorf avait aussi sauvé le livre intitulé Al-Qatrum, les territoires de l'ombre, qui avait jadis appartenu à son défunt père. Ce gros ouvrage avait été d'une aide précieuse lors des événements de Bratel-la-Grande et il serait, sans nul doute, encore utile dans l'avenir.

Les deux compagnons se préparèrent pour leur voyage vers le nord. Amos enveloppa ses pieds et ses chevilles de fourrures, découpa les tapisseries de façon à en faire un abri portatif, bourra de retailles de peaux de loup l'intérieur d'un casque de guerre en métal pour s'en faire un chapeau chaud et se fit une cape d'un restant de tapisserie très colorée représentant une scène de couronnement. Il était ainsi prêt à affronter les grands froids. Le garçon se choisit ensuite une épée sans fourreau qu'il passa dans sa ceinture de corde.

Béorf, pour sa part, revêtit une cotte de mailles qu'il mit par-dessus ses habits de paysan. L'hommanimal avait déjà une épaisse fourrure d'hiver le recouvrant des chevilles jusqu'au cou. Ses bras étaient aussi recouverts de poils jusqu'aux poignets. De près comme de loin, on aurait dit qu'il portait un vêtement de fourrure d'ours parfaitement ajusté. Béorf chargea le mulet pour le voyage, et les deux amis prirent la route.

* * *

En deux semaines de voyage, les garçons n'avaient rencontré que misère et désolation. Comme ils suivaient la piste des bonnets-rouges, toutes les villes et tous les villages dans lesquels ils étaient passés avaient été détruits, incendiés et pillés. Les habitants avaient été sauvagement assassinés ou kidnappés afin d'être vendus en tant qu'esclaves, comme Frilla. Plus Amos et Béorf avançaient vers le nord, plus les méfaits des bonnets-rouges semblaient terribles. On aurait dit que les gobelins devenaient de plus en plus cruels d'attaque en attaque. Ils prenaient maintenant plaisir à torturer leurs victimes. Les cadavres avaient des marques de brûlures, des lacérations multiples et d'ignobles mutilations. Pour Amos et Béorf, il s'agissait de scènes insupportables à voir. Ils en faisaient des cauchemars et s'imaginaient souvent être épiés par une présence invisible. La paranoïa les gagnait lentement.

Comme tous les soirs, Béorf avait monté la tente et Amos était parti à la recherche de nourriture. Lorsque ce dernier revint au camp avec quelques poissons et un faisan, son ami était couché en boule sous un arbre. Le gros garçon dormait de plus en plus fréquemment. Il était toujours fatigué et voulait constamment se reposer. Poussé par instinct à l'hibernation, l'hommanimal avait moins d'appétit et il était souvent de mauvais poil, surtout le matin à son réveil. Amos trouvait ce nouveau comportement quelque peu déplaisant, mais il comprenait bien que son compagnon combattait du mieux qu'il pouvait sa nature d'ours.

Amos prépara le repas tandis que Béorf ronflait. Il alluma le feu en claquant des doigts et se concentra pour qu'une légère brise souffle constamment sur les braises. Le soleil avait presque disparu derrière les montagnes, et la nuit s'annonçait particulièrement froide. Amos grelottait tout en regardant fumer le gibier et les poissons. Comme il levait les yeux vers l'horizon pour admirer le pâle croissant de lune, son attention fut attirée par une lueur lointaine. Là-bas, au loin, dans l'ombre de la forêt, il y avait un petit château d'où émanait de la lumière. Amos se précipita sur Béorf et le secoua fortement.

— Réveille-toi, Béorf. Je vois de la lumière là-bas ! Il y a quelqu'un qui vit là ! Peut-être qu'on pourra nous renseigner sur le passage des bonnets-rouges ! Réveille-toi, bon sang ! En deux semaines, nous n'avons vu que des horreurs... Nous pourrions demander l'hospitalité... C'est peut-être notre chance de dormir dans un bon lit et...

— DORMIR DANS UN BON LIT ! lança Béorf en levant la tête. Je suis partant ! Ne perdons pas de temps, laissons là le matériel, amenons le mulet et prions pour rencontrer UN BON LIT !

Après une bonne heure de marche rapide dans les bois, Amos et Béorf atteignirent leur destination. Ils arrivèrent devant une forteresse abritant une immense demeure de pierre d'où s'élevait une très haute tour. Un profond fossé entourait le château qui n'était accessible que par une passerelle de bois en très mauvais état. Béorf, impatient et fatigué de sa promenade tardive en forêt, s'y engagea d'un pas ferme. Amos ouvrit la bouche pour dire à son ami de faire attention, mais les mots n'eurent pas le temps d'en sortir. Trop tard ! Une planche craqua sous le poids du gros garçon. Il perdit l'équilibre, tomba à plat ventre et passa au travers de la passerelle. Dans un infernal bruit de planches qui se cassent, l'hommanimal poussa un cri retentissant et alla terminer sa chute au fond du fossé. Amos s'avança un peu sur la passerelle et hurla, en essayant de voir où était tombé précisément son ami :

— Ça va, Béorf ? Réponds-moi ! Béorf ? Es-tu blessé ?

Inquiet, Amos voulut utiliser ses pouvoirs de porteur de masques afin de créer, dans sa main droite, une petite boule de feu pouvant lui fournir assez de lumière pour apercevoir Béorf. Au lieu de cela, c'est un globe lumineux d'un mètre de diamètre qui apparut au-dessus de lui. La lumière était si forte qu'il était impossible de la regarder. Amos vit clairement Béorf, bien assis au fond du fossé. Autour de lui, il y avait des centaines de pièces d'or qui scintillaient comme des étoiles à travers la neige. Sous la lumière magique, Béorf leva la tête vers son ami et dit en plissant les yeux :

— NOUS SOMMES RICHES ! Il y a des milliers de pièces d'or, ici ! Mais non ! Des centaines de milliers ! Tout le fossé est rempli d'or… Je n'en crois pas mes yeux !

— Prenez une seule pièce de ce trésor et vous mourrez ! résonna une voix grave et profonde.

Amos se retourna et vit un grand homme, avec un chapeau large et un long manteau de cuir, lancer une corde à Béorf. Dans la lumière magique qui rayonnait comme un soleil, il remarqua que le châtelain avait de longs cheveux roux et de larges mains couvertes de taches de rousseur. L'homme leur dit, avec un fort accent :

— Vous ! Oui, vous, dans le fossé ! Attrapez cette corde et montez ! Et vous, jeune homme, de l'autre côté de la passerelle, marchez sur les planches du côté droit et vous traverserez sans problème !

Les garçons s'exécutèrent. L'homme parla ensuite d'une voix rassurante :

— Je vous attendais ! Votre feu de camp a attiré mon attention alors que j'observais les étoiles du haut de ma tour. J'ai pris ma longue-vue et je vous ai regardés prendre votre mulet et vous diriger ici. Entrez... suivez-moi. Le dîner est servi. Ah oui ! vous pouvez laisser votre animal de l'autre côté du fossé. Les prédateurs du coin ne s'approchent jamais de ma maison, ils me craignent...

Béorf et Amos se regardèrent, légèrement angoissés. L'homme claqua des doigts, et la boule de lumière s'éteignit. Le jeune porteur de masques comprit alors que le sort n'était pas de lui, mais bien de cet étrange bonhomme. Les garçons suivirent leur hôte à l'intérieur du château. C'était somptueux, riche et magnifiquement bien décoré. Sur les murs, il y avait de grands portraits d'hommes et de femmes en habits d'apparat. Des dizaines de chandeliers éclairaient les pièces, et une immense cheminée chauffait les lieux. Sur les meubles antiques, tous en bois exotiques, reposaient des statuettes dorées, des bibelots d'argent et plusieurs autres objets de valeur. Tous les miroirs étaient sertis de pierres précieuses. Trois couverts de porcelaine attendaient les convives sur une grande table remplie de mets fins, de fruits exotiques et de viandes fumantes. Béorf se tourna vers Amos et lui dit à l'oreille :

— C'est mieux que tes poissons, ça ! On devrait amener ce type avec nous comme cuistot !

— Prenez place ! lança l'homme en retirant son chapeau et son manteau. Mettez-vous à l'aise, il fait bon ici !

Après avoir enlevé leurs vêtements d'hiver, Amos et Béorf passèrent à table.

— Mangez ! Faites comme chez vous ! Empiffrez-vous ! Ce n'est pas tous les jours que je reçois de la visite ! Vous devez certainement vous interroger à mon sujet… Attaquons ensemble ce poulet et je vous raconte mon histoire.

Béorf ne se fit pas prier pour satisfaire son hôte. L'appétit lui revenait à toute vitesse et le « empiffrez-vous » du maître des lieux avait résonné comme une douce musique à ses oreilles. Amos, moins exubérant, se contenta de manger calmement en écoutant attentivement le récit de l'homme.

— Vous êtes ici chez moi, commença le rouquin. Je suis de la grande lignée des De VerBouc, une famille de nobles et riches propriétaires qui possédaient toutes les terres environnantes. Je suis un duc et …

— … et vous êtes tellement riche que vous semez des pièces d'or dans les fossés ? lança effrontément Béorf en mastiquant un énorme morceau de poulet.

— Ce trésor est maudit, mon jeune ami affamé, répliqua le duc. Quiconque dérobe une seule pièce de cet amoncellement d'or se voit condamné à mort. Une malédiction terrible plane sur ce trésor.

— Et d'où vient cette malédiction ? demanda Amos.

— Elle vient d'un vieil homme un peu fou, répondit le duc De VerBouc. Il y a de cela sept générations, mon aïeul fit un pacte avec le diable. Il échangea son âme contre un grand sac rempli d'or. Mon aïeul était un avare de la pire espèce. Posséder des terres, des villages, des esclaves et une gigantesque fortune en bêtes de toutes sortes ne lui suffisait pas. Il voulait de l'or, des pièces d'or bien rondes et solides.

— Mais il y a beaucoup plus qu'un seul sac de pièces dans le fossé ! s'écria Amos.

— Oui, parce que mon aïeul voulut tromper le diable, continua le duc. Il s'installa en haut de sa tour et fit une grande ouverture au fond d'un sac de farine vide. Il ouvrit le sac et ordonna au diable d'honorer sa parole. Alors, du ciel, des pièces commencèrent à tomber directement dans le sac, mais comme celui-ci était percé, il fut impossible de le remplir. Pendant des heures et des heures, le diable versa des pièces. Mon aïeul riait aux éclats d'avoir ainsi piégé son adversaire. Une petite montagne d'or commença à s'élever au pied de la tour. Le diable avait décidé qu'il aurait l'âme de mon ancêtre coûte que coûte ! Cela lui coûterait des millions de pièces, mais il allait en verser jusqu'à ce qu'elles atteignent le haut de la tour et finissent par remplir le sac ! Devant le spectacle de tout cet or tombant du ciel, l'avare perdit la tête et hurla au ciel qu'il était maintenant plus riche qu'un dieu. Au moment où la montagne de pièces, presque aussi haute que la tour, allait enfin combler le sac de farine, un violent cours d'eau, arrivé d'on ne sait où, vint disperser le trésor. Cette rivière creusa un profond fossé autour de la demeure en tapissant son lit d'une épaisse couche de pièces. Les dieux venaient de faire taire l'arrogance de mon aïeul. L'avare se lança en bas de la tour pour rattraper son or et se brisa le cou. Le diable, qui avait perdu l'âme de mon grand-père en plus de sa fortune personnelle, lança alors une malédiction sur son argent. Depuis ce jour, les De VerBouc sont condamnés à être les gardiens du trésor. De génération en génération, nous sommes obligés d'habiter ce lieu et nous ne disposons que d'une semaine dans notre vie pour trouver une femme, nous marier et concevoir un enfant.

— C'est bien peu de temps ! lança Amos, très surpris.

— Le diable m'accorde quelques pouvoirs dont celui de charmer, répondit l'homme en souriant. C'est plus facile et plus rapide ainsi ! J'ai un fils depuis déjà quelques années et le pauvre garçon ne sait pas que, à ses dix-huit ans, il devra prendre ma place. Tout comme moi, il aura une surprise de taille !

— Mais qu'arrive-t-il si quelqu'un s'empare d'une pièce ? demanda Béorf en essuyant sur son pantalon ses mains pleines de jus de poulet.

— Il meurt d'une horrible façon, répondit le duc De VerBouc. La peste le ronge d'un coup, très sauvagement. Ses entrailles se dessèchent et son sang devient acide. Des plaques noires et de grosses pustules couvrent lentement son corps. Viennent ensuite les crises de délire, puis les vomissements. Rendu à cette étape, il n'y a plus rien à faire ! La peau tombe par plaques, et les muscles se déchirent d'eux-mêmes en causant de terribles souffrances. Toute personne qui quitte ce lieu en emportant une pièce, amène avec elle cette infernale maladie.

Béorf déglutit et retira deux pièces de sa poche. Il les posa timidement sur la table et dit :

— J'avais pensé qu'elles auraient pu nous être utiles pour le voyage, mais... à bien y réfléchir… nous n'avons pas vraiment besoin d'argent. Tenez, je vous les laisse !

— Seulement deux ! s'exclama le duc en riant. S'il advenait que quelqu'un vole le trésor au complet, le diable n'aurait plus besoin de gardien et je retrouverais ma liberté. Il te faudrait en prendre beaucoup plus, jeune homme, pour me donner un véritable coup de main ! Tu veux que je t'aide à remplir des sacs ?

— NON ! Ça va ! répondit Béorf en riant. Je n'ai pas non plus besoin de pustules et de plaques sur la peau…

— Et vous maintenant, demanda De VerBouc, parlez-moi un peu de vous et des raisons qui vous ont conduits ici.

Amos raconta l'attaque de Berrion par les bonnets-rouges, la mort de son père et leur quête pour retrouver Frilla, sa mère. Il garda pour lui le secret du bois de Tarkasis et de ses fées. Le garçon ne parla pas non plus de ses pouvoirs, des masques et de ses aventures passées. Certaines choses se devaient de rester secrètes.

À la fin de son récit, Amos vit que Béorf s'était endormi sur sa chaise. Il sentit ses paupières devenir lourdes et, à son tour, il plongea dans un profond sommeil. Toute la nuit, les deux garçons rêvèrent qu'ils dormaient chacun dans un confortable lit aux draps propres.

Amos rouvrit les yeux dans le soleil du matin. Il était assis devant les restes d'un feu de camp sur lesquels fumaient encore faiblement des poissons calcinés et un faisan desséché. Un peu plus loin, Béorf ronflait sous son arbre. Il n'y avait plus de forteresse à l'horizon, et l'air du matin était glacé. C'était exactement comme si, la veille, Amos s'était endormi devant le feu avant d'apercevoir la demeure du duc De VerBouc. En se levant, il remarqua une enveloppe à ses pieds. À l'intérieur, il trouva une pièce d'or et une lettre :

Chers amis,

Ce fut un plaisir de partager mon repas en aussi bonne compagnie.

Vous êtes les bienvenus quand vous voudrez.

Soyez sans crainte, cette pièce n'est pas maudite.

Elle saura vous guider vers moi si, un jour, vous désirez me revoir.

Si je n'étais plus là, saluez bien mon fils de ma part et dites-lui que…

Dites-lui que je l'aime beaucoup et que j'aurais donné ma vie pour lui éviter la malédiction de notre famille.

Amitiés,

Duc Augure De VerBouc

5

Les molosses hurlants

Amos et Béorf étaient complètement perdus. Depuis quelques jours, ils avaient quitté la route pour couper directement à travers une grande forêt. Les pistes des bonnets-rouges s'enfonçaient dans les bois. Malgré le risque de se perdre, les deux amis s'étaient résolus à tenter l'aventure. Ils n'avaient pas vraiment le choix, car, pour retrouver Frilla, il fallait suivre les gobelins!

La forêt était sombre et lugubre. De gigantesques pins gris cachaient en permanence le soleil. Le sol était glacé et très glissant. Les garçons devaient prendre d'énormes précautions pour ne pas tomber et se blesser. Ils avançaient avec peine, mais étaient toujours à l'affût d'indications leur permettant de suivre la trace des bonnets-rouges. Les indices du passage de ces créatures hideuses n'étaient pas difficiles à découvrir. Ces monstres brisaient tout et ne respectaient rien. Branches cassées, arbres entaillés, petits animaux morts, feux de camp éteints et déchets divers parsemaient constamment leur route.

Soudain, devant eux, les deux amis aperçurent un cadavre. Il s'agissait d'un de ces monstrueux gobelins. Amos examina le corps et dit à Béorf :

— Il est mort en se battant. Regarde les morsures sur ses jambes ! Une bête probablement très féroce l'aura attaqué.

Béorf regarda autour de lui pour s'assurer que rien ne menaçait leur sécurité. Il sursauta en découvrant des dizaines de cadavres.

— Regarde, Amos, lança-t-il nerveusement, ce bonnet-rouge n'est pas mort seul... Je pense qu'il y a dans cette forêt des bêtes qui ne veulent pas être dérangées !

Autour des deux garçons, il y avait des gobelins dont les corps avaient été sauvagement mordus. La scène était horrible à voir.

— Je crois bien, déclara Amos, songeur, que nous ferions mieux de nous faire tout petits ! Pour avoir tué autant de ces maudits gobelins, il faut que les habitants de ces lieux soient nombreux et très féroces !

— Je pense comme toi. Nous devrions peut-être même arrêter de parler, on ne sait jamais si…

Béorf se tut et inspecta d'un rapide coup d'œil la cime des arbres. Son oreille avait capté un son étrange. Il scruta les troncs, les branches, puis fixa son regard sur quelque chose. Le béorite s'approcha ensuite lentement d'Amos et pointa son doigt en direction d'une forme étrange. Il lui murmura à l'oreille :

— Regarde là ! Juste là ! Tu vois ?

— Oui, je vois quelque chose de rouge dans l'arbre ! chuchota Amos.

— C'est un de ces bonnets-rouges, j'en suis certain ! lança Béorf en serrant les dents. Il est à califourchon sur une grosse branche.

— Il s'est probablement réfugié dans cet arbre lors de l'attaque des bêtes, supposa le jeune porteur de masques. Il n'a pas eu le courage de redescendre ! Je me demande depuis combien de temps il est là.

— Et si on le faisait descendre ? demanda l'hommanimal. On pourrait lui poser quelques questions ! Écoute comme il ronfle. Il n'a vraiment pas l'air en forme et je me sens d'attaque pour me dégourdir les griffes.

— Je croyais que tu hibernais en hiver ! s'exclama Amos pour taquiner son ami. Ce ne sera pas un trop gros effort pour toi ?

— Je dormirai une semaine pour me remettre sur pied s'il le faut! répondit Béorf d'un air complice.

— Dans ce cas, allons-y! dit Amos en se frottant les mains. Il est temps d'en apprendre un peu plus sur toute cette histoire. Prends cette corde, Béorf, et prépare-toi à l'immobiliser quand il va atterrir. Je vais le faire tomber comme un fruit mûr...

Les garçons s'avancèrent en silence et prirent position tout près du grand arbre où sommeillait le gobelin. Amos se concentra et leva la main vers la cime du pin gris. Doucement, un léger vent commença à souffler sur le bonnet de la créature. Le couvre-chef rouge glissa de sa tête et amorça sa chute vers le sol. À ce moment, réveillé par la perte de son bonnet, le gobelin eut le réflexe de se pencher pour essayer de le saisir au vol. Voyant son ennemi en déséquilibre, Amos claqua des doigts et fit s'enflammer son fond de culotte. Le gobelin, surpris par cette soudaine chaleur et oubliant la précarité de sa position, bondit spontanément de la branche. Poussant un cri retentissant, il s'écrasa de tout son long une quinzaine de mètres plus bas. Il s'était fracassé le nez et les dents sur une grosse racine.

Béorf intervint alors rapidement. En quelques secondes, il désarma le bonnet-rouge et le ligota solidement contre l'arbre. Étourdi par sa vilaine chute, le gobelin fut incapable de se défendre. Béorf sortit ses puissantes griffes et les appliqua sur la gorge de son prisonnier. Il lui dit d'un ton menaçant :

— Maintenant, nous allons te poser des questions et tu vas répondre, sinon… sinon je me fâche !

— Aglack koi galok koi giss kuit ! s'exclama le gobelin, paniqué.

— Je pense qu'il ne parle pas notre langue ! constata Béorf, un peu dépité.

— J'ai ce qu'il nous faut, dit Amos en se dirigeant vers le mulet. J'ai ici un cadeau de Gwenfadrille qui nous sera très utile.

Le jeune porteur de masques prit le coffret contenant les quatre oreilles d'elfe en cristal et les montra à Béorf. Il lui expliqua comment s'en servir et les deux amis se retrouvèrent avec chacun deux oreilles pointues. Lorsque le bonnet-rouge les vit, il s'écria :

— Des elfes ! Pas mal à moi ! À moi prier à toi et à toi de pas de mal à moi ! Pour rien dans l'histoire à moi…

— À moi avoir questions à toi…, dit Amos qui parlait maintenant le gobelin. Dire à moi ce que à toi savoir.

— À moi tout dire à toi de moi si à toi pas mal à moi ! lança nerveusement le captif.

— À moi pas mal à toi! À moi jurer à toi! confirma Amos.

— Mais à moi mal à toi si à toi cacher à moi vérité de toi, grogna Béorf en montrant ses canines d'ours.

— Premier, expliquer à moi forêt morts de frères à toi et toi dans arbre? l'interrogea Amos.

— À canins nuits attaquer à nous… partout canins, à moi protéger à moi, à moi grimper dans arbre! expliqua le bonnet-rouge.

— À toi comprendre? demanda Béorf à Amos.

— Retirer oreilles à toi!

Les garçons enlevèrent les oreilles de cristal. Ils entendirent le gobelin demander:

— Gilka koi, puili kuit?

— Un instant! répondit Amos en faisant un signe au prisonnier. Tu as entendu, Béorf? Il parle de chiens noirs.

— Oui, j'ai bien compris. Cette langue est vraiment étrange… «Canins nuits» veut dire «chiens noirs»!

— Je pense comprendre ce qu'il veut dire.

Amos marcha jusqu'au mulet et sortit des affaires de voyage le livre *Al-Qatrum, les territoires de l'ombre.* Il tourna rapidement les pages et tomba sur une description sommaire de ces chiens noirs. Il était écrit que ces bêtes, communément appelées les «molosses hurlants», vivaient toujours en meute. Aussi grands que des jeunes veaux, ces chiens avaient un pelage noir et étaient facilement reconnaissables à leurs grands yeux flamboyants. Selon le livre, les molosses auraient été des gardiens de trésors ou des protecteurs de lieux sacrés.

— Tu vois, Béorf, dit Amos en terminant sa lecture à voix haute, il y a dans cette forêt un lieu que ces chiens gardent jalousement. Les bonnets-rouges ont dû, sans le savoir, s'en approcher un peu trop. Plusieurs gobelins auront payé de leur vie cette erreur.

— Ils étaient des milliers de gobelins lors de l'attaque de Berrion ! s'écria Béorf. Quelques dizaines de moins, c'est une très bonne nouvelle et j'espère que ces molosses les mangeront tous avant qu'ils ne sortent des bois !

— Le seul problème, continua Amos, c'est qu'ils pourraient aussi nous attaquer n'importe quand !

— KAQUIK MULF ! KAQUIK MULF ! hurla soudainement le bonnet-rouge.

Amos et Béorf remirent leurs oreilles d'elfe.

— À toi paniquer, expliquer à moi..., demanda le porteur de masques.

— Canins nuits... canins nuits autour à nous courir à nous ! Courir à nous ! cria le gobelin.

Béorf jeta un rapide coup d'œil autour de lui. Plus loin, des ombres se déplaçaient derrière les arbres, encerclant leur petit groupe. Amos libéra le bonnet-rouge et lui dit :

— Partir à toi, libre à toi !

— NON À TOI ! cria le prisonnier. Elfe à toi promis à moi pas mal à moi, à moi aller à toi, à moi suivre à toi pour protéger à moi !

— Problèmes à nous ! grogna Béorf.

— Courir à nous ! lança Amos, un peu paniqué.

Saisissant le mulet par la bride, Amos et Béorf commencèrent à courir dans la forêt. Le gobelin, terrorisé, les suivait pas à pas. À cause de la gelée, le sol était glissant et les ombres s'approchaient rapidement d'eux. En jetant un coup d'œil par-dessus son épaule, Amos vit trois énormes molosses hurlants au regard perçant devancer la meute.

— Il faut aller plus vite, laissons là le mulet ! proposa Béorf.

— Tu as raison, haleta Amos. Selon le livre, ces créatures sont des gardiens ! Comme le mulet ne représente aucun danger pour leur trésor, les chiens le laisseront sûrement en paix. Enfin, j'espère…

— Et qu'est-ce qu'on fait du gobelin ? demanda le gros garçon, essoufflé.

— S'il nous suit, il aura une chance de s'en sortir, répliqua le porteur de masques, sinon tant pis pour lui !

Amos saisit une couverture dans le matériel de voyage, lâcha la bride du mulet et accéléra sa course. Béorf s'était déjà transformé en ours et courait à toutes pattes. Les deux amis arrivèrent presque en même temps devant un grand lac gelé. On aurait dit un gigantesque miroir posé à plat. Derrière eux, les molosses se rapprochaient dangereusement. Utilisant ses griffes pour éviter de glisser, l'hommanimal cavalait déjà sur le lac. Amos prit deux coins de la couverture dans chaque main. Grâce à ses pouvoirs, il fit s'engouffrer le vent dans cette voile de fortune. Le garçon décolla d'un coup et faillit tomber. Il se redressa heureusement à temps. Le porteur de masques glissait maintenant à vive allure sur le lac. Les deux pieds sur la glace, il utilisait sa magie pour faire chauffer les semelles de ses bottes. En réduisant ainsi la friction de ses pieds sur la glace, il doublait sa vitesse. En deux temps, trois mouvements, Amos avait rattrapé Béorf.

— Regarde là-bas ! cria Amos à son ami en le doublant. Il y a une maison à l'autre bout du lac ! Allons nous y abriter…

— Les molosses… ils… Je les sens… Ils me rattrapent ! lui répondit l'ours dans un grognement saccadé.

— Agrippe-toi à moi, Béorf ! lança le garçon en ralentissant. Ma ceinture !

L'hommanimal ouvrit la gueule et saisit la ceinture d'Amos. Ce dernier, voyant venir la meute non loin derrière lui, se concentra encore davantage. De fortes bourrasques, constantes et puissantes, se levèrent. La voile tirait aisément Amos et le béorite.

Tout à coup, Béorf sentit quelque chose agripper sa patte arrière. Tournant la tête, il vit que le gobelin profitait lui aussi du transport. Quiconque aurait assisté à la scène n'en aurait pas cru ses yeux! Un jeune garçon glissait à grande vitesse sur un lac en s'accrochant à une couverture qui lui servait de voile. Celle-ci, gonflée par un vent bizarre qui ne soufflait nulle part ailleurs, avait aussi à sa remorque un ours blond sur quatre pattes et un gobelin à plat ventre qui se cramponnait de peine et de misère à l'animal. Toute la troupe gagnait maintenant de plus en plus de vitesse.

Tout comme à Berrion, le porteur de masques avait perdu le contrôle de sa magie. À cause de sa peur des molosses, ses émotions avaient pris le dessus sur sa raison. Les bourrasques se transformèrent en vents violents. Les semelles d'Amos étaient maintenant si chaudes qu'il glissait sur le lac en laissant derrière lui deux rigoles d'eau bouillante. Un nuage de vapeur s'échappait de ses pieds. Encore une fois, la magie des éléments allait tout ravager.

Conscient de ce nouveau danger, Béorf décida que la balade avait assez duré. Il fit volontairement trébucher Amos qui aussitôt s'affala de tout son long sur la glace. Déconcentré par sa chute, le garçon perdit sa concentration et le vent cessa net. Il était moins une!

Entraînés par leur élan, Amos, Béorf et le gobelin terminèrent tous leur course sur la rive du lac, la tête plantée dans la neige. Le petit groupe était à quelques pas de la maison qu'Amos avait aperçue un peu plus tôt. Dans quelques secondes, ils seraient à l'abri des molosses.

La maison était en réalité un petit temple. Une fois à l'intérieur, Béorf barricada la porte et reprit sa forme humaine. Le gobelin, témoin de cette transformation, n'en revenait pas. Il n'avait jamais vu de béorites, et cette métamorphose le paralysa. Il était assis par terre, bouche bée, et observait le gros garçon aux oreilles pointues avec de grands yeux incrédules. Il osa demander:

— Ours à toi ou homme à toi?

— Ta gueule à toi! répondit Béorf d'un air méchant. Tranquille à toi ou sinon à moi dévorer à toi!

Les molosses hurlants entouraient maintenant le petit temple. Par la fenêtre, Amos surveillait leurs déplacements. Les gros chiens noirs avaient l'air très excités. Le garçon appela Béorf et lui dit :

— Regarde comme ils semblent nerveux… Selon moi, nous sommes précisément dans le lieu qu'ils doivent protéger.

— À toi dire à moi, trésor à nous ici ? lança Béorf. Euh… pardon ! Depuis que nous avons ces oreilles d'elfe, je ne sais plus quelle langue je parle ! Ce que je disais, c'est que…

— Oui, j'ai compris ! répliqua Amos en riant. Moi aussi, j'ai toujours mes oreilles de cristal. Tu as raison, il y a sûrement un trésor ici. Seulement, les molosses ne nous laisseront pas l'emporter si facilement.

— À vous parler langue à elfe ? demanda le gobelin, intrigué. Trésor à nous ici ? Compris à moi que…

— À moi mettre à toi dehors, à canins nuit aimer à toi, à canins nuit besoin dîner ! cria Béorf en se retournant vers le bonnet-rouge.

Soudainement, tout près de l'autel du temple, un cierge s'alluma de lui-même. Amos murmura à son ami :

— Ce n'est pas moi qui ai fait cela ! Prépare-toi, il va peut-être y avoir de l'action !

C'est alors que, dans l'embrasure de la porte d'une annexe située derrière l'autel, apparut un druide. Vision d'horreur : cet homme n'avait pas de tête. En fait, il en avait une, mais c'était une tête de mort dont le crâne était lisse et blanc. Un calice d'or à la main, il vint se placer près du cierge. Cet être mi-homme, mi-squelette, habillé de vêtements de cérémonie, prononça, d'une voix calme et lugubre, ces étranges paroles :

— Par Manannan Mac Lir, fils légitime de Lir, époux de Fand, rendons gloire ou mourons !

— Qu'est-ce qui se passe ? demanda Béorf, anxieux.

— Je ne sais pas ! répondit Amos en haussant les épaules.

— Par Manannan Mac Lir, fils légitime de Lir, époux de Fand, rendons gloire ou mourons ! répéta le druide.

— Voilà ! Je crois savoir ce qu'il veut ! s'exclama Amos en regardant partout autour de lui.

— Explique-moi ! demanda Béorf avec insistance.

— Par Manannan Mac Lir, fils légitime de Lir, époux de Fand, rendons gloire ou mourons !

— Tu vas voir..., répondit Amos.

Le garçon se dirigea vers l'autel. Juste à côté du monstrueux druide, il y avait un gros livre posé sur un lutrin. Amos l'ouvrit et y jeta un rapide coup d'œil. Grâce à la magie de ses oreilles d'elfe, il put aisément en déchiffrer les inscriptions.

— Par Manannan Mac Lir, fils légitime de Lir, époux de Fand, rendons gloire ou mourons! récita encore une fois le druide

— Mourons la tête haute au combat! Mourons comme nous avons vécu... sans peur et sans modestie! répondit le porteur de masques.

— Que l'eau nous porte! chanta soudainement l'homme à la tête de mort.

— Que le vent nous mène! répliqua Amos, le regard rivé sur le livre pour suivre cette étrange cérémonie.

— Que le sang coule dans mes veines...

— Que le sang de mes ennemis coule aussi...

Les deux voix alternèrent longtemps. «Manannan Mac Lir!» disait souvent le druide en levant vers le ciel sa bouche sans lèvres et ses orbites sans yeux. «Grand dieu entre les dieux!» répondait Amos d'une voix tremblante d'émotion.

Et la cérémonie continua ainsi pendant près d'une heure.

Au moment de la bénédiction des disciples de Manannan Mac Lir, le monstre se retourna vers Amos. La tête de mort avait disparu pour faire place à une figure vaguement lumineuse et empreinte d'une ineffable expression de sérénité. L'homme avait une grande barbe d'algues marines et d'anémones multicolores. Il parla :

— J'étais condamné à venir ici tous les jours, jusqu'à ce qu'il se trouve une âme charitable pour m'aider à dire une cérémonie que j'ai jadis négligée à cause de mon avarice, de ma cupidité et de ma convoitise. Plusieurs sont entrés dans ce temple pour ma fortune et ont connu la mort par les morsures des molosses hurlants. Prends la cassette d'or qui se trouve sous l'autel. C'est ma richesse que je t'offre afin que tu poursuives ton voyage vers le nord. J'attends qu'on me libère depuis deux cents ans. J'ai payé ma dette envers Manannan Mac Lir, mon dieu. Je pars vers lui et je t'obtiendrai ses faveurs.

Cette dernière phrase prononcée, le druide s'évapora. Amos et Béorf regardèrent sous l'autel et virent le coffret qu'ils ouvrirent facilement. Il était rempli de saphirs bleus. Il y en avait des centaines. Le béorite sourit.

— Je pense que nous sommes riches, Amos !

— Je le crois aussi ! Nous n'aurons plus de problèmes d'argent pour un bon bout de temps !

Comme Amos se retournait vers Béorf, ce dernier s'effondra lourdement sur le sol. Le gobelin venait de l'assommer d'un coup de bâton. Excité par les saphirs, le bonnet-rouge avait les yeux exorbités et bavait comme un chien enragé. Avant même que le jeune porteur de masques puisse utiliser ses pouvoirs, il reçut lui aussi le bâton de son adversaire sur la tête et tomba dans les pommes. Il eut le temps de l'entendre s'exclamer :

— RICHESSES À MOI ! Richesses à moi… riche…

6
Le maître

Amos ouvrit les yeux avec un terrible mal de tête. Il avait la lèvre inférieure fendue et une grosse bosse sur le front. Béorf revenait aussi lentement à lui. Le porteur de masques se releva en grognant :

— On s'est bien fait avoir !

— Outch ! s'exclama Béorf en s'assoyant. Si je retrouve ce maudit gobelin, je lui crève les yeux !

— Allez, nous devons partir à ses trousses pour récupérer notre cassette, suggéra Amos, encore étourdi. Il faut le rattraper…

— Oui… tu as raison, approuva l'hommanimal. Partons vite d'ici !

Les garçons sortirent rapidement du petit temple. Quelle ne fut pas leur surprise de voir toute la meute des molosses hurlants toujours devant la porte! Ils auraient dû, eux aussi, se lancer à la poursuite du gobelin! Amos et Béorf se figèrent, puis esquissèrent un léger mouvement de recul. Devant eux, il y avait une centaine de gros chiens noirs. Curieusement, les bêtes semblaient très calmes. Parmi elles, l'insouciant mulet gambadait. Le plus gros des molosses s'approcha lentement d'Amos. La queue entre les jambes et la tête basse, il frôla de son museau la main du garçon. Ce chien quémandait une caresse! Béorf explosa d'un rire libérateur.

Toute la meute s'approcha alors joyeusement des garçons. Comme Amos allait se pencher pour caresser à tour de rôle ses nouveaux amis, une forte lumière blanche déchira le ciel. Tous les animaux disparurent d'un coup et le jeune porteur de masques se retrouva avec un collier entre les mains. Entièrement fait de bois, il était composé de maillons de noyer. Une centaine de crocs de chiens, finement décorés d'argent, étaient attachés tout autour. Surpris, Amos regarda Béorf.

— Nous avons maintenant une armée de cent molosses à notre disposition. Je n'aurai qu'à lancer une de ces dents par terre pour qu'elle se transforme en gros chien noir! C'est du moins ce que j'ai lu dans *Al-Qatrum, les territoires de l'ombre.*

— Eh bien ! s'écria le gros garçon en saisissant le mulet par la bride, tu es la première personne que je connaisse qui portera une armée autour de son cou ! Dépêchons-nous de rattraper ce maudit gobelin !

Amos et Béorf partirent aussitôt à la recherche du voleur. Le bonnet-rouge n'avait même pas essayé de brouiller ses pistes. Pendant des heures, les deux amis marchèrent dans la forêt en discutant des fréquentes pertes de contrôle d'Amos sur sa magie. Le porteur de masques ne comprenait pas ce qui lui arrivait. Jamais ses pouvoirs n'avaient été aussi grands et aussi destructeurs. Ses émotions venaient presque à tous coups amplifier de façon désastreuse le moindre de ses sorts. Était-ce une conséquence de sa longue maladie ? Comment rétablir la situation ? Ces questions demeuraient sans réponses.

La nuit allait bientôt tomber lorsqu'ils virent, au loin, une lueur familière. En s'approchant, Amos et Béorf aperçurent leur voleur assis dans une minuscule clairière. Il avait la cassette posée sur les genoux et se réchauffait les mains devant un feu de camp. Amos remarqua tout de suite les gestes très théâtraux du gobelin. La créature regardait furtivement, de chaque côté d'elle. De toute évidence, ce gobelin jouait la comédie et n'avait pas aussi froid qu'il le laissait croire. Il attendait tout simplement leur arrivée. Dans la lumière mourante de cette fin de journée, le porteur de masques vit que la neige avait été balayée dans la clairière. On avait effacé des pistes, probablement des centaines de traces de pas. Le bonnet-rouge leur tendait un piège. Toute cette mise en scène était un guet-apens !

Béorf, inconscient du danger, se transforma en ours et courut en grognant vers le gobelin. Amos voulut l'arrêter, mais il était trop tard. L'hommanimal fonça directement dans le piège. À peine avait-il fait quelques pas dans la petite clairière que des dizaines de bonnets-rouges bondirent des arbres et se jetèrent sur lui. En quelques secondes, l'ours était immobilisé au sol, les pattes ligotées et prêt à être transpercé de plusieurs lames de hallebarde. Des cris de joie et des hurlements de guerre célébrèrent la capture de Béorf. Le voleur de saphirs fit rapidement taire ses compagnons.

— Montrer à toi à nous, elfe Amos ! cria-t-il en direction de la forêt. Montrer à toi à nous sinon à nous tuer à lui !

Des vociférations belliqueuses s'élevèrent du groupe de gobelins. Caché derrière un arbre, Amos tâta nerveusement son nouveau collier. Une armée de molosses hurlants viendrait facilement à bout de ces bonnets-rouges, mais les créatures auraient le temps de tuer Béorf. Que faire? Utiliser encore une fois ses pouvoirs sur les éléments au risque de tout détruire? Se livrer et faire face à la mort? Rester caché et attendre la suite des événements? Non, il fallait sauver Béorf, mais comment?

— MONTRER À TOI! hurla le bonnet-rouge, furieux, en pointant la lame d'une hallebarde sur la gorge de l'ours. SI À TOI JOUER À NOUS MAUVAIS TOUR, À MOI TUER À LUI! MONTRER À TOI À NOUS DE SUITE!

Amos se gratta la tête. Lui, qui d'habitude avait les idées claires et savait toujours comment réagir pour se sortir des pires pétrins, était maintenant terrifié. Il ne savait plus que faire et, étrangement, son corps commençait à le brûler. Toute la neige autour de lui avait fondu. Par terre, juste devant lui, s'animaient de petites flammes qui dansaient en chuchotant:

— Choisissez-nous, maître, nous sommes un bon peuple! Un bon peuple! Très bon peuple! Nous n'avons pas de dieu et nous méritons un guide tel que vous. Un bon peuple!

Le jeune porteur de masques allait perdre encore une fois le contrôle de sa magie! Comme à Berrion, il se transformerait en torche humaine! Bientôt, toute cette partie de la forêt allait spontanément s'enflammer et une tornade gigantesque détruirait ses ennemis. La haine avait maintenant remplacé la peur. Amos pensait au meurtre de son père, à l'enlèvement de sa mère. Et toujours ces flammes, comme de petits bonshommes qui dansaient devant ses yeux en murmurant :

— Choisissez-nous, maître, nous sommes un bon peuple ! Un bon peuple ! Très bon peuple !

— MONTRER À TOI À NOUS ! hurla encore une fois le gobelin en levant sa hallebarde. À MOI TRANCHER TÊTE À LUI ! À MOI TRANCHER TÊTE À LUI !

— Un bon peuple ! Très bon peuple ! Un bon peuple ! chantait les flammes comme une litanie.

— MORT À LUI ! cria le bonnet-rouge, furieux.

— MORT À LUI ! reprirent en chœur ses horribles compagnons.

Un cri perçant retentit alors dans la forêt. Les bonnets-rouges, glacés d'effroi, s'immobilisèrent quelques secondes. Amos, qui avait instantanément retrouvé ses esprits, leva la tête pour voir d'où provenait ce haro guerrier. Entre les arbres, dans un éclair de lumière blanche, jaillit la plus étrange des apparitions. Un vieillard, habillé d'une large robe orange, portant un bonnet de laine blanc et un sac de voyage en bandoulière, déboula dans la clairière. Il était debout sur le dos d'une licorne ! Entre ses mains, il faisait rouler très habilement une grande lance de bois à la pointe vrillée. Sa longue barbe tressée, longue de deux mètres, traînait derrière lui. Une boule de fonte en ornait le bout.

Galopant à toute allure, la licorne fonça sur le groupe de gobelins. Avec sa corne, elle en embrocha deux au passage qu'elle éjecta aussitôt d'un léger coup de tête. Le vieillard, toujours debout sur l'animal, faisait maintenant tourner sa natte comme s'il s'agissait d'un lasso. La boule de fonte fixée au bout de la tresse envoya au tapis une douzaine de bonnets-rouges en leur fracassant un bras, une épaule, quelques côtes ou encore en leur défonçant la tête.

Dans un mouvement aussi gracieux que périlleux, le vieil homme sauta de la licorne en exécutant deux vrilles arrière et retomba sur ses pieds au centre de la clairière. En trois mouvements de lance, il tua cinq bonnets-rouges. Les créatures, enragées, commencèrent à se défendre plus sérieusement. Maniant son arme avec une dextérité hors du commun, l'étonnant guerrier évitait tous les coups, et chacun des siens blessait mortellement. Il semblait connaître tous les points faibles de ses adversaires et frappait tantôt au cou, tantôt au ventre ou aux jambes.

Des bruits d'os cassés, des exclamations de douleur et un vacarme de plaintes arrivaient aux oreilles d'Amos. Les gobelins qui essayaient de fuir étaient immédiatement encornés par la licorne. Le magnifique cheval blanc courait autour de la petite clairière en empêchant quiconque de s'échapper. En trois minutes, tout était fini.

Le voleur de saphirs fut le dernier des gobelins debout. Il recula de quelques pas devant le vieillard et balbutia une série d'excuses incompréhensibles. L'homme le regarda dans les yeux et sourit, puis il poussa un cri si strident que le bonnet-rouge s'écroula, raide mort, sur le sol. Comme une flèche qu'on décoche, l'intensité du son avait transpercé le cœur de la créature.

Le vieil homme replaça un peu sa robe orange. Ses habits étaient impeccables. Malgré le combat, il n'y avait pas une tache, pas un fil tiré. Il déclara en regardant sa dernière victime:

— Celui qui fait l'âne ne doit pas s'étonner qu'on lui monte dessus!

Il alla ensuite caresser la licorne et lui murmura quelques mots à l'oreille. L'animal rendit la caresse et disparut en trottinant dans la forêt. Amos s'approcha lentement de la clairière. Tous les corps des gobelins gisaient par terre, inanimés. Il y en avait peut-être une centaine.

Le vieillard libéra Béorf et, tout en faisant signe à Amos d'approcher, lui dit:

— En général, les gens intelligents n'ont pas de courage et les gens courageux ne sont pas très intelligents ! Eh bien, vous êtes plus courageux qu'intelligent, monsieur Bromanson. Votre position ici me le prouve bien... et vous, monsieur Daragon, vous êtes assez intelligent pour voir le guet-apens, mais pas assez courageux pour sauver votre ami ? Ce n'est pas bien... Par contre, vous avez tous les deux de très belles oreilles. C'est très bon signe, car on dit chez moi que l'homme qui n'a pas d'oreilles pour écouter n'a pas de tête pour se gouverner !

— Qui êtes-vous ? Et que voulez-vous ? demanda impoliment Béorf, redevenu humain.

— Qui a honte de poser des questions a honte d'apprendre ! fit le vieil homme en enroulant sa barbe autour de son cou comme un foulard. C'est très bien, monsieur Bromanson ! C'est très, très bien !

— Oui, dit Amos, songeur. Et ce ne sont pas toutes les questions qui méritent d'être posées, n'est-ce pas ?

— MERVEILLEUX ! lança le vieillard comme un père fier de son fils. Vous êtes comme je l'imaginais, monsieur Daragon. Vif d'esprit ! Allumé ! Nous allons bien nous entendre, tous les trois. Nous nous amuserons ensemble... Oh oui ! nous allons bien nous entendre !

— NOUS TROIS ENSEMBLE ! répétèrent en chœur les garçons, surpris de la nouvelle.

— Oui ! confirma le vieux guerrier. À partir de maintenant, je suis votre maître… plutôt votre guide ! Quelqu'un veut du thé ?

7
Les premières leçons

Le vieillard sortit de son sac une petite théière, y versa de l'eau et la mit à chauffer sur le feu. Ensuite, il demanda aux garçons de l'aider à nettoyer la clairière des corps de gobelins. La nuit était tombée et, bientôt, ils se retrouvèrent tous les trois autour du feu de camp à boire un thé très parfumé. Le vieux guerrier partagea en trois morceaux un quignon de pain et dit :

— J'ai une histoire à vous raconter. Cela expliquera mieux ma présence à vos côtés. Un jour qu'il revenait d'une longue marche, j'ai demandé à mon maître ce qu'était le savoir. Il avait un grand bâton et m'a répondu que le savoir était exactement comme ce bâton. Mon maître l'avait trouvé par hasard, l'avait taillé et poli de ses mains. Maintenant, il s'en servait tous les jours. Il s'y appuyait et le bâton l'aidait à marcher, l'aidait à avancer. Ma fonction auprès de vous sera simple: je serai votre appui, votre bâton.

— Oui, mais..., fit Amos en retirant son chapeau de fourrure, pourquoi nous? Pourquoi ici? D'où venez-vous? Et qui êtes-vous réellement? Comment se fait-il que...?

— Tant de questions et si peu de thé! l'interrompit le vieil homme. Commençons par le début. Je me nomme Sartigan et j'ai grandi dans les lointaines contrées de Chû, à l'extrême est du continent. Très jeune, ma famille m'a confié aux bons soins d'un temple consacré au dieu Liu. J'y ai vécu en paix une enfance difficile, mais fort enrichissante. Je suis devenu un très grand combattant, respecté et aimé de tous. Je suis, comme on dit chez moi, un guerrier du feu.

— Qu'est-ce qu'un guerrier du feu? lança Béorf en lorgnant le bout de pain que Sartigan n'avait pas encore entamé.

— Un guerrier du feu est un chasseur de dragons, répondit le vieil homme.

— Mais les dragons ont disparu depuis des milliers d'années! s'exclama Amos. Vous n'avez certainement pas mille ans!

— Oh que si! Et j'ai failli mourir à cause d'une de ces terribles créatures. Je combattais avec mon armée dans le nord du continent et accidentellement, au cours de la bataille, je suis tombé dans l'eau glacée. Le dieu Liu a protégé mon âme pendant les centaines d'années où mon corps est demeuré prisonnier des glaces. Lorsque j'ai rouvert les yeux, j'étais dans mon pays, sur une plage déserte, il y a de cela presque treize ans. C'était précisément le jour de votre naissance, Amos. Je suis revenu à la vie pour devenir votre maître, pour vous servir de guide. Liu m'a donné cette mission. J'ai pris la route et me voici maintenant auprès de vous. Pendant douze ans, j'ai marché vers le premier de la nouvelle génération des porteurs de masques. Ce fut… une longue route !

— Dans votre temps, étiez-vous un porteur de masques aussi ? demanda Amos, très ému.

— Oh non ! s'écria Sartigan en rigolant. Je n'ai pas eu cette chance ! Par contre, j'ai vu une fois, une seule fois, un porteur de masques à l'œuvre. Notre armée lui avait demandé de nous aider à combattre un dragon. La bête était cachée dans une caverne de la montagne. Eh bien, vous savez ce que le porteur de masques a fait ? Il a fermé ses yeux très calmement et, dans un terrible tremblement de terre, la montagne s'est transformée en volcan. Plus tard, nous avons retrouvé les ossements du dragon dans la lave refroidie. C'était un des plus grands porteurs de masques que le monde ait connus. Comme vous, c'était un elfe et il s'appelait Arkillon.

— C'est bizarre, mais ce nom me dit quelque chose…, murmura Amos.

— Peut-être l'aurez-vous entendu dans de vieilles chansons ! dit Sartigan. C'était un ancien voleur repenti. Les légendes racontent qu'il aurait subi une grave malédiction et qu'il vivrait prisonnier du monde des morts.

— Maître Sartigan, je peux avoir votre bout de pain ? se décida à demander Béorf en salivant. Comme vous ne le mangez pas, je me disais… que… peut-être… enfin, si vous me le donnez, je vous confierai un secret !

— Très bien, fit le maître en lui tendant sa ration. Quel est ce secret que je paie si chèrement ?

— Eh bien, Amos et moi ne sommes pas des elfes ! déclara Béorf en croquant le pain. Explique-lui, Amos. C'est impoli de parler la bouche pleine et comme je mange…

Amos retira ses oreilles de cristal. À sa grande surprise, il constata que Sartigan ne parlait pas la même langue que lui. Le maître s'étonna aussi de ne plus comprendre un seul mot de son nouvel élève. Seul Béorf comprenait tout, mais il était trop occupé à avaler sa dernière bouchée de pain pour intervenir.

Sartigan examina les oreilles de cristal d'Amos et lui demanda, par signe, la permission de les essayer. À son grand étonnement, ses propres oreilles devinrent pointues.

— Maintenant, c'est vous qui parlerez ma langue, dit Amos en souriant.

— Si j'avais eu ces choses dans le temps…, chuchota le maître, songeur.

— En fait, ce sont les fées du bois de Tarkasis qui nous en ont fait cadeau…, ajouta le garçon.

— Oui… oui… j'ai rencontré ces fées ! Je les ai croisées tout près de Berrion… enfin, tout près de ce qui reste de Berrion, devrais-je plutôt dire ! Elles se demandaient, les petites fées, pourquoi un chasseur de dragons portait une couleur aussi voyante ! Ça m'a bien fait rire !

— Et pourquoi donc ? demanda Béorf en jetant un coup d'œil furtif dans le sac du maître pour voir s'il restait du pain.

— Allons donc ! s'indigna Sartigan, très déçu. Vous ne savez pas que l'œil d'un dragon ne peut percevoir la couleur orange ? Je suppose que vous ne savez pas non plus que la pointe vrillée de la grande lance est faite d'une corne de licorne ?

— Non, dit Amos en haussant les épaules.

— C'est la seule arme capable de traverser les épaisses écailles du dragon ! Pas une lame ou une pointe de flèche n'arrive à blesser un

Ancien, mais l'ivoire de la licorne passe à travers tout.

— Mais comment vous procurez-vous ces cornes? fit Béorf en cherchant dans son propre sac quelque chose à grignoter.

— Mais vous ne savez donc rien? s'étonna le maître. Il était temps que j'arrive dans vos vies! Bon, parlons de la licorne. Ces bêtes magnifiques habitent les grandes forêts partout dans le monde. Invisibles pour les yeux des mortels, elles se laissent pourtant voir des gens bons et généreux et, parfois même, elles leur servent de monture. Ce grand cheval blanc est d'une force et d'une vitesse surprenantes. Toute sa puissance est concentrée dans sa corne et, au moment de mourir, il arrive qu'il l'offre à un mortel. Voilà pourquoi j'ai cette arme... J'ai déjà eu une grande amie licorne.

Le maître resta silencieux quelques secondes, plongé dans ses pensées, puis continua:

— En m'offrant cette magnifique défense, elle a fait de moi un ami de sa race et c'est pourquoi les licornes ne manquent jamais de venir me saluer dès qu'elles me voient. Ces bêtes sont des alliées sur qui je peux toujours compter. Rappelez-vous qu'une corne offerte par une licorne garde en elle toute sa force, mais qu'une corne volée ne vaut plus rien.

— Il y a des gens qui chassent les licornes?

demanda Amos.

— Oui, il y a beaucoup de chasseurs et de braconniers. Ils tuent impunément ces superbes chevaux pour voler leur corne. Ils restent indifférents aux paroles des sages et des magiciens qui leur disent que cela ne sert à rien. Tout ce qu'ils veulent, c'est le pouvoir de la corne !

— Mais si les licornes sont invisibles... comment font-ils... les chasseurs... pour les capturer ? bredouilla Béorf en mastiquant un bout de cuir pour se couper la faim.

— Bonne question, monsieur Bromanson ! complimenta le maître. Les licornes ont plusieurs faiblesses. La première est qu'elles sont hypnotisées par leur propre reflet. Face à un miroir, elles perdent tous leurs moyens, mais surtout leur invisibilité. Les chasseurs fabriquent des pièges à l'aide de miroirs qu'ils dispersent çà et là dans la forêt. Sa deuxième faiblesse est sa sensibilité aux charmes des jeunes filles pubères. Les licornes recherchent leurs douces caresses. C'est probablement en raison de la pureté de leur âme. Une des techniques de chasse consiste donc à amener une fillette avec soi dans les bois. Celle-ci a pour mission de faire sortir l'animal de sa cachette. Ensuite, elle doit l'encourager à se coucher docilement sur le sol et à poser la tête sur ses genoux afin de recevoir de tendres caresses. Ainsi exposée, la licorne se fait souvent tuer sans pouvoir réagir ! La bête a aussi une troisième faiblesse. Au combat, sachant que sa corne peut aisément transpercer une armure, l'animal charge la tête la première. Une vieille ruse de chasseur est donc de se placer devant un arbre et de faire un pas de côté au dernier moment. La corne traverse alors le tronc, et la bête, prisonnière de l'arbre, est ainsi vulnérable !

— Mais... expliquez-moi une chose..., dit Amos.

— Terminé ! l'interrompit Sartigan. Nous avons assez parlé...

— Et pas assez mangé..., maugréa Béorf.

— Dormons un peu, suggéra le vieillard. Ces quelques bonnets-rouges que j'ai éliminés constituent une infime partie de l'armée qui voyage actuellement en ces terres. Nous avons encore beaucoup de chemin à faire pour retrouver votre mère, monsieur Daragon !

— Mais comment savez-vous que... ? commença à dire Amos.

— Je sais beaucoup de choses, mais je suis fatigué, le coupa encore une fois le maître.

— Nous devrions établir des tours de garde, suggéra Béorf.

— Ne vous en faites pas..., répondit Sartigan, j'ai une amie qui veille ! Tenez, Amos... je vous rends vos oreilles de cristal.

Surtout, cachez-les bien lorsque nous sortirons de cette forêt. J'ai entendu dire que les elfes n'ont pas toujours bonne réputation parmi les peuplades du Nord ! Bonne nuit ! Ah oui... j'oubliais ! Jusqu'à nouvel ordre, je vous interdis formellement d'utiliser vos pouvoirs de porteur de masques, monsieur Daragon ! C'est un ORDRE ! Souvenez-vous-en...

Amos tourna la tête et vit l'ombre d'une licorne manger quelques branches d'un arbre.

— Une autre chose avant de dormir ! dit promptement le vieillard. Je connais bien la race des béorites, monsieur Bromanson. Plus vous mangerez, plus vous dormirez ! Votre race, jeune homme, peut choisir d'hiberner ou non. Comme je vous veux alerte et bien réveillé pour notre voyage, à partir de maintenant, vous êtes au régime, monsieur Bromanson !

— QUOI ! hurla Béorf, complètement affolé. Vous... vous... vous voulez ma mort ? C'est ça ? Je ne peux pas faire de régime... C'est contre... contre ma nature... Je...

— Taisez-vous et bonne nuit ! conclut le maître.

— Je déteste ce vieux ! marmonna Béorf.

— PARDON ? demanda Sartigan en se redressant.

— JE DÉTESTE CE LIEU ! répliqua Béorf en se dirigeant vers le mulet pour prendre des couvertures. J'ai dit que je déteste ce lieu !

— Très bien ! s'exclama le maître en bâillant. J'avais compris autre chose...

Amos raviva le feu, puis, comme Béorf, s'installa pour la nuit. Sartigan, pieds nus et légèrement vêtu, s'était endormi sur le sol glacé. C'est au son du bruissement du vent dans les arbres et des ronflements bien sonores du vieil homme que, sous un magnifique ciel étoilé, les deux amis plongèrent dans le sommeil.

* * *

Amos vit soudainement la figure de son père apparaître devant lui. Le jeune porteur de masques était dans le lit de l'ancienne chaumière de ses parents, dans le royaume d'Omain. C'est à cet endroit qu'il avait vu le jour et qu'il avait grandi. Urban venait de le réveiller et Amos l'étreignit avec autant de tendresse que de chaleur.

— Écoute ce que j'ai à te raconter, mon fils, commença Urban. C'est une énigme que tu devras toi-même résoudre. J'ai eu dans ma jeunesse un superbe cheval. Sa robe était claire et sans défauts, ses jambes longues et solides et c'était, sans nul doute, un des animaux les plus intelligents de sa race. Mon père voulut, avant de me l'offrir, le dresser convenablement. Il l'attacha donc à un piquet, au bout d'une très longue corde. Le jeune cheval se mit à se cabrer et à ruer avec furie. L'animal, privé de sa liberté, regimbait avec force, se rebellait contre son nouveau maître, sautait en l'air, piétinait le sol, hennissait avec violence et cherchait à mordre quiconque s'en approchait. Mais comme le piquet était bien planté et que la corde était épaisse et bien tressée, il ne pouvait pas s'enfuir. Sa rage doubla, quadrupla même ! Rien à faire, il demeurait toujours attaché. Pendant plusieurs jours, mon cheval s'épuisa de la sorte, puis, un matin, il se calma tout à fait. Alors, mon père le libéra et me l'offrit. Pendant des années, ce cheval fut mon meilleur ami. Nous allions ensemble au village, à la rivière, et nous faisions des courses folles dans les champs. Il rendait des services à ma famille et demeurait constamment libre d'aller et venir à sa guise. Comprends-tu ce que je veux te dire ?

— J'en déduis que mes pouvoirs de porteur de masques, répondit Amos à son père, sont comme le cheval de ton histoire. Ils prennent peur, sautent dans tous les sens, hennissent et ragent parce que la magie se sent prisonnière de mon corps. Voilà pourquoi je perds le contrôle !

— Très bien, mon fils ! s'exclama Urban en caressant la tête d'Amos. Ton « attention » est la corde qui tiendra fermement tes pouvoirs à leur place. Le « piquet » est une image représentant le contrôle de tes émotions. Laisse tomber ta rage et ta haine, elles ne te servent à rien. Je veille sur toi et Béorf. Le vieux Sartigan est là pour t'aider à devenir meilleur. Fais-lui confiance.

8
Le village d'Upsgran

Urban disparut et Amos se réveilla en sursaut. Sartigan avait rallumé le feu et buvait un bol de thé. Dans les premières lueurs du matin, Amos remarqua que Béorf était déjà levé. Affamé, le gros garçon marchait dans les bois à la recherche de racines comestibles et de fruits sauvages gelés.

— Votre ami est de très mauvaise humeur, dit Sartigan en riant. Il s'est levé avant moi et le pauvre garçon fouille cette forêt depuis bientôt une heure. Je crois qu'il a vraiment faim…

— Moi aussi, j'ai faim…, répliqua Amos en se réchauffant près du feu. Il nous faudrait trouver quelque chose à manger.

— Oui, c'est évident… À quelques lieues d'ici, nous atteindrons la grande mer du Nord.

Il y a un village côtier où nous pourrons nous restaurer.

— Allons-y vite car je sens que Béorf est sur le point de dévorer un arbre !

— Oui, et le bois est très mauvais pour la digestion, ajouta Sartigan d'un air moqueur.

Le petit groupe chargea rapidement le mulet et prit la direction du nord. Béorf était de très mauvais poil. Il traînait de la patte, maugréait en avançant. La race des hommes-ours était ainsi faite. On aurait dit que leur estomac occupait la fonction d'organe émotif. Plus il était vide, plus les béorites étaient irritables.

Heureusement, le maître et ses deux nouveaux élèves arrivèrent bientôt à la grande mer du Nord, au bord de laquelle se trouvait le village d'Upsgran. Sur le côté de la route, ils virent un menhir sur lequel on pouvait lire ce message de bienvenue profondément gravé dans la pierre :

Upsgran — 103 âmes — Foutez le camp !

De toute évidence, les habitants ne voulaient pas être importunés par des étrangers. C'était pourtant le seul endroit où les voyageurs pouvaient trouver quelque chose à se mettre sous la dent. Béorf devait absolument manger et ce village était leur dernière chance de lui rendre le sourire. De toute façon, ils avaient besoin de provisions pour la route et devraient acheter aussi de nouveaux vêtements plus chauds. Même Sartigan, qui ne paraissait jamais frissonner, avait dit se sentir légèrement indisposé par le vent plus frisquet de la mer.

Upsgran était un tout petit village où s'alignaient de grandes maisons de bois. Chacune d'elles pouvaient facilement abriter plusieurs familles. Faites entièrement de planches robustes, elles avaient une charpente solide rappelant la coque d'un bateau renversée. Leur toit était recouvert de gazon. À travers la fine neige, il était possible de voir les brindilles d'herbe qui poussaient tout l'été sur la toiture. Ces maisons, sans fenêtres, étaient ornées de sculptures en bois représentant des monstres marins et d'affreux démons.

Amos fit signe à Béorf de bien cacher ses oreilles pointues et il s'approcha de l'une de ces demeures. Il trouva une fente entre les planches et jeta un coup d'œil à l'intérieur. La lumière éclairant l'habitation provenait essentiellement d'un grand trou pratiqué dans le toit. Il n'y avait qu'une seule pièce. De nombreux lits y avaient été disposés tout autour. La maison étant pauvrement meublée, il était facile de voir que la majorité des biens de la famille qui y habitait étaient suspendus au mur ou rangés dans de gros coffres ouverts. Un immense foyer siégeait au centre de la pièce. Tout près du feu, on avait placé un impressionnant métier à tisser.

Il était midi passé et le village entier semblait profondément endormi.

— Alors, fit agressivement Béorf, y a de quoi manger là-dedans ?

— Oui, mais tous les habitants de cette maison dorment à poings fermés ! répondit Amos. Ils ronflent tous comme des sonneurs !

— Réveillons-les ! suggéra Béorf, impatient. Nous avons de quoi leur payer le dérangement !

— Regardez !... s'écria Amos, il y a un petit port de pêche là-bas et je vois un établissement, on dirait une taverne. Allons voir si nous pouvons manger et nous réchauffer !

En approchant du port, Amos fut grandement impressionné par les bateaux qui y étaient amarrés. Ils étaient longilignes, très grands et possédaient une unique voile carrée finement tressée de larges bandes blanches et bleues. Une vingtaine de rames pendaient de chaque côté des navires. Des boucliers multicolores et d'imposantes figures de proue aux allures de monstres complétaient leur décoration. Ces magnifiques vaisseaux se balançaient lentement en suivant la cadence des vagues.

En arrivant à la porte de la taverne, Sartigan s'arrêta.

— Il y a de l'activité à l'intérieur ! Je ne pourrai pas communiquer avec ces gens. Ils ne parlent pas ma langue et je n'ai pas d'oreilles magiques comme les vôtres. Entrez, je resterai ici. Bonne chance, les garçons, et ne vous mettez pas dans le pétrin… Je surveille et je vous attends à l'extérieur.

Amos et Béorf se regardèrent, espérant qu'ils trouveraient quelqu'un pour les aider. Discrètement, ils pénétrèrent dans le bâtiment de bois. Une épaisse fumée s'échappait de la cheminée et flottait dans les lieux avant de s'évacuer lentement par un grand trou au plafond. Un rayon de lumière perçait l'obscurité de cette taverne sans fenêtres. Six hommes qui ressemblaient à de véritables brutes se tenaient debout, autour d'une table, et dévisageaient Amos et Béorf.

Il s'agissait sans nul doute de solides guerriers. Fiers de leur apparence, ils portaient une épaisse cotte de mailles et un pantalon de cuir grossier resserré au mollet par une bande molletière. Posés autour d'eux, on pouvait voir des casques coniques de métal à protège-nez, des boucliers ronds, de longues lances, des haches et des épées à deux mains. Chacun d'eux portait une cape épaisse et une large ceinture. Ils étaient costauds, bedonnants et arboraient une longue barbe et une moustache fournie.

Manifestement, les deux garçons les avaient dérangés en plein milieu de leur repas. Sur la table, il y avait d'épaisses tranches de pain beurrées, de la viande de bœuf rôtie, du jambon bouilli, des saucisses de sanglier, du cerf, du renne grillé et une quantité impressionnante de fruits sauvages, de noix et de légumes. D'un coup de narine, Béorf avait déterminé le contenu de chaque plat à son odeur. Il salivait en priant pour que ces étrangers l'invitent à leur table.

Le plus gros des hommes saisit un pichet rempli d'eau et cria, en le lançant de toutes ses forces vers les garçons :

— DEHORS, VERMINES ! ON NE SERT PAS LES ÉTRANGERS ICI !

— Je sers qui je veux CHEZ MOI ! hurla une grosse femme en sortant des cuisines. C'est moi qui prends les décisions dans MA taverne !

La dame était en train d'essuyer un grand poêlon de fonte. Elle s'avança vers l'antipathique brute et lui en assena un coup en plein visage. L'homme tomba à terre, inconscient.

— QUE J'EN PRENNE UN AUTRE À SE MÊLER DE MES AFFAIRES ET JE LUI TRANSFORME LE NEZ EN CRÊPE ! menaça la matrone en brandissant son poêlon de fonte.

Les barbares se renfrognèrent et continuèrent à manger en observant les intrus. La dame se retourna vers Amos et Béorf et leur demanda :

— Alors, jeunes gens, qu'est-ce que vous faites ici ? Cet endroit n'est pas convenable pour vous !

— Nous arrivons de loin, dit Amos en saluant respectueusement la dame. Nous avons traversé la grande forêt au sud de votre charmant village et nous n'avons plus de provisions. Pouvons-nous manger ici ? Nous avons de quoi payer !

— Mon garçon ! s'exclama la matrone en jetant un regard dédaigneux à ses clients, si TOUT LE MONDE ICI était aussi gentil que toi, ma vie serait beaucoup plus facile. Tu as en plus un très joli accent du sud... Cela m'a toujours plu...

— Alors, on peut manger ? demanda anxieusement Béorf.

— Non... peut-être... enfin... pas maintenant..., hésita la grosse femme. Il y a une importante réunion ici et je dois vous demander de revenir plus tard.

— J'AI FAIM ! hurla soudainement Béorf.

Le garçon, enragé par le refus de la dame, avait maintenant transformé ses bras en pattes d'ours et ses dents en redoutables canines.

— Donnez-moi à manger, ordonna-t-il, ou je me sers moi-même !

Le regard de Béorf se tourna vers la table de victuailles. Le gros garçon n'en croyait pas ses yeux! Devant lui, les brutes souriaient à pleines dents… d'ours. Tous ces hommes étaient, en fait, des béorites! Même la matrone avait maintenant les oreilles rondes et de la fourrure épaisse autour des bras. Elle lui demanda:

— Qui es-tu, jeune ours, et d'où viens-tu?

— Je m'appelle Béorf Bromanson et je suis le fils de…

— ÉVAN! LE FILS D'ÉVAN BROMANSON! clama la femme tout excitée. VOUS AVEZ ENTENDU? C'EST LE FILS D'ÉVAN!

Les hommes se levèrent tous en même temps et sautèrent au cou de Béorf! Ils le lancèrent plusieurs fois dans les airs et lui caressèrent la tête en riant de bon cœur. Dans leurs yeux brillaient la fierté et la joie de retrouver un des leurs. La grosse dame cria:

— Les Bromanson sont de retour à Upsgran! Je vais réveiller tout le village!

Béorf essaya de placer un mot, mais en vain. On se saisit de lui et il atterrit bien vite sur une chaise tout près de la table. On le bombardait de questions. « Comment vont ton père et ta mère? » « Évan a-t-il un autre drakkar? » « Ta mère est-elle encore aussi jolie? » « Hanna, ta mère, était la plus belle fille de ce village! Elle te l'aura sûrement dit, non? » « Évan est sûrement un bon père, n'est-ce pas ?» «Que font-ils ?» «Où demeurent-ils maintenant ?» «T'ont-ils parlé de nous ? De Upsgran ?» «Évan t'a-t-il raconté la fois où nous sommes tombés ensemble de la falaise de Ryhiskov ?» «Toujours dans les livres, ton père, n'est-ce pas ? A-t-il trouvé des réponses à ses questions ?» «Est-il là ?» «Arrive-t-il bientôt ?»

Les paroles s'entremêlaient, les questions et les exclamations se juxtaposaient et pendant ce temps... Béorf mangeait ! Il s'empiffrait en riant. De la viande et du pain, des fruits et du miel ! Le paradis s'appelait maintenant Upsgran.

Amos fut invité à se joindre au repas. Il sortit chercher Sartigan et lui dit :

— J'ai une bonne et une mauvaise nouvelle, maître !

— Commence donc par la bonne, répondit Sartigan, un grand sourire aux lèvres.

— Nous avons trouvé des amis dans ce village ! s'exclama Amos.

— Et la mauvaise ? demanda le vieillard, curieux.

— Le régime de Béorf... c'est foutu ! lança Amos en éclatant de rire.

9

Banry Bromanson et les funérailles d'Évan et d'Hanna

Un lourd silence chargé de chagrin et de colère envahit la taverne d'Upsgran lorsque Béorf, repu et un peu remis de ses émotions, parvint à raconter la mort de ses parents. Tout le village s'était réuni. Les cent trois béorites composant la communauté s'étaient tous tirés de leur hibernation pour voir le fils Bromanson et entendre ses histoires. Le gros garçon leur expliqua comment son père avait été capturé par les chevaliers de la lumière de Bratel-la-Grande. Évan s'était défendu comme un véritable homme-ours. Il avait vendu chèrement sa peau. Sous les ordres de Yaune le

Purificateur, sa mère avait, elle aussi, été faite prisonnière. Ses parents, accusés de sorcellerie, étaient montés ensemble sur le bûcher. Ils étaient morts main dans la main, leurs yeux remplis de peur mais aussi de toute la tendresse qu'ils avaient l'un pour l'autre.

L'assemblée prit quelques minutes pour essuyer ses larmes. Upsgran était le village natal d'Évan et d'Hanna. Tous les habitants les avaient connus, aimés et chéris. Un homme se leva et retira son casque à cornes. Il était très grand, avait les cheveux longs et bruns, une barbe courte bien taillée et de larges épaules.

— Je suis Banry Bromanson, dit-il, chef de la grande maison des Bromanson et chef de ce village. Ton père était mon frère, et ma maison est maintenant la tienne. On m'appelle le Serpent des mers, car je suis meilleur navigateur que chasseur. Si tu veux venger la mort d'Évan, je t'accompagnerai jusqu'en enfer !

— Moi, je suis Helmic l'Insatiable, lança un autre homme, au fond de la taverne.

Helmic était costaud et semblait être un guerrier très robuste. Contrairement aux autres béorites, il était complètement chauve et imberbe. Il avait des yeux perçants, un nez fin, de petites oreilles et un gros ventre.

— On m'appelle l'Insatiable, continua-t-il, parce que je n'ai jamais assez à boire, jamais assez à manger, jamais assez de batailles à mener et jamais assez d'aventures à vivre ! J'ai navigué aux quatre coins de ce monde et je suis prêt à repartir à la seconde même ! Ma maison est aussi grande ouverte pour toi et tes compagnons. Tu peux compter sur moi n'importe quand... Je suis toujours là pour mes amis et sache que je n'ai qu'une parole !

— Chez nous aussi, tu es le bienvenu ! s'exclamèrent à l'unisson deux autres hommes.

Les frères Azulson venaient de parler. De taille moyenne, les deux guerriers avaient des physionomies complètement différentes. L'un était bourru et mal dégrossi tandis que l'autre avait les traits fins et semblait plus fragile.

— Moi, c'est Goy et, lui, c'est Kasso, dit brutalement le plus renfrogné des deux.

— Je suis capable de me présenter tout seul ! intervint le chétif. Excuse-le, jeune garçon, mon frère n'a pas beaucoup de manières. Nous n'avons pas eu la même éducation. J'ai été élevé par ma mère et lui par mon père. Mon frère est un peu... primaire, disons !

— C'est ça ! Primaire toi-même, espèce de gringalet ! répliqua Goy. Je vais t'en foutre, des manières ! Monsieur Kasso ne mange que des raisins et des noix. Il a peur de prendre du poids !... Son régime, c'est sa religion ! Il est tellement nul au combat corps à corps que c'est toujours moi qui fais tout le travail !

— Pourquoi risquer ma vie quand tu es là pour moi, Goy ! s'exclama Kasso. Moi, je pense et, toi, tu agis. Je suis la tête et toi les bras. Depuis toujours tu n'as jamais...

— TAISEZ-VOUS ! cria une voix forte et profonde. Ces deux-là n'arrêtent jamais de se chamailler...

Six hommes se levèrent. C'étaient eux qui avaient accueilli les garçons dans la taverne. Le plus gros du groupe, un homme-grizzly mesurant deux mètres et devant peser plus de cent cinquante kilos, fit un pas en avant. Il exhibait fièrement de longs favoris tressés et une épaisse moustache rousse. Son imposant casque de métal bosselé arborait deux ailes noires de corbeau. Il prit la parole :

— Je suis Piotr Bailson, dit le Géant d'Upsgran ! Je te présente mes hommes. Voici Geser Michson, dit la Fouine, il connaît la forêt mieux que personne. Alré Girson, dit la Hache, il est le plus sauvage des combattants que je connaisse. Rutha Bagason, dite la Valkyrie, est la seule femme de mon groupe et toute la côte du Nord parle encore de ses exploits. Chemil Lapson, dit les Doigts de fée, il est le meilleur charpentier de ce continent, et voilà Hulot Hulson, dit la Grande Gueule. Hulot a tout vu et a tout fait, mais sans jamais sortir de ce village !

Toute l'assistance éclata d'un grand rire complice. Les émotions provoquées par la nouvelle de la mort d'Évan et d'Hanna se dissipaient peu à peu. Hulot ouvrit la bouche pour défendre son honneur, mais Alré la Hache la lui fit fermer bien vite.

— Nous formons la garde d'Upsgran, poursuivit Piotr le Géant. En hiver, nous protégeons le sommeil de nos amis afin que rien ne trouble leur repos. On nous appelle les Corbeaux et c'est avec un très grand plaisir que nous aimerions t'accueillir au sein de notre groupe. Nous avons besoin de relève et tu pourras apprendre beaucoup de nous. Ce serait un honneur pour moi de commander le fils d'Évan Bromanson, notre ancien chef…

— Mon père était chef? s'étonna Béorf.

— Mon frère aîné, répondit Banry, fut le plus grand chef que ce village ait connu. Il était d'une force et d'un courage hors du commun. D'une intelligence rare, il a fait beaucoup pour les béorites d'Upsgran. Quand il est parti, c'est moi qui, temporairement, ai pris sa succession. Depuis des années, nous attendons son retour et c'est toi qui arrives à sa place. Le destin fait tout de même bien les choses!

— Mais pourquoi mon père a-t-il quitté le village? demanda le gros garçon, avide des paroles de son oncle.

— Pour une raison simple et fort louable. Il est parti pour essayer de trouver des réponses à ses questions. Ses recherches l'avaient amené à penser que la race des hommes-ours s'était dispersée au quatre coins du monde et était menacée de disparition. Il voulait aller dans une grande ville où il trouverait des livres et des gens qui pourraient l'aider à mieux comprendre notre espèce et peut-être à réunir nos semblables.

— Mais… si je peux me permettre cette question…, intervint Amos, pourquoi Évan pensait-il que votre race était sur le point de disparaître ?

— À cause de la malédiction ! rugit Helmic. Nous sommes une espèce maudite, voilà la vérité !

— Ne dis pas cela, répliqua Banry. Nous n'en avons pas de preuves concrètes !

— J'ai remarqué qu'il n'y a pas d'enfants à Upsgran, dit Amos. Est-ce normal ?

— Non, ce n'est pas normal…, admit Banry. Depuis plusieurs années, nos enfants meurent en bas âge. À peine ont-ils appris à marcher qu'ils sont emportés par une étrange maladie. Ils cessent soudainement de respirer dans la nuit. Il n'y a rien à faire… C'est avant tout pour cette raison que mon frère a quitté le village. Il voulait comprendre ce phénomène pour nous venir en aide. Il voulait des réponses! D'ailleurs... il a dû réussir à trouver quelque chose d'important, puisque que Béorf est le fils d'un béorite et qu'il est... vivant! Sans enfants, nous sommes condamnés à disparaître. En plus, il y a ces sales gobelins qui rôdent depuis quelque temps...

— Les bonnets-rouges! s'écria Béorf. Ils sont passés par ici?

— Ils ont bien essayé de prendre le village! lança Piotr le Géant en riant. Seulement, ils nous ont trouvés sur leur route! Nous sommes sûrs qu'ils reviendront... plus nombreux et plus féroces. C'est de cela que nous parlions autour de la table à votre arrivée à l'auberge ce matin. D'ailleurs, je vous demande pardon pour la façon dont nous vous avons accueillis. Nous étions préoccupés et...

— Nous comprenons, fit Amos en souriant.

— Bon! reprit brusquement Banry. Notre ancien chef et sa tendre épouse sont morts, nous leur devons des funérailles dignes de leur rang, dignes de l'amitié que nous avions pour eux. Nous reparlerons plus tard de nos malheurs. Ce soir, nous prierons pour le repos éternel d'Évan et d'Hanna, deux enfants d'Upsgran.

Sur les ordres de Banry, deux artisans taillèrent de gros troncs d'arbres à l'image des disparus. Les deux sculptures seraient placées au centre du village en mémoire du couple. On hissa hors de l'eau le drakkar de la famille Bromanson. Tous les objets personnels qu'Évan et Hanna avaient laissés derrière eux furent placés dans le bateau. Chacun des habitants y ajouta une babiole qui lui rappelait les défunts. Banry s'avança, une torche à la main, et immola l'embarcation. Tandis que le soleil se couchait lentement derrière les montagnes de l'ouest, tous les habitants d'Upsgran entonnèrent un chant funéraire :

> Ô peine au cœur, la mer est calme, vois,
> Comme un miroir étincelant repose,
> Comme en sa coupe l'argent fondu,
> Heure douce quand rien n'est désaccord.
>
> En fleurs et fruits, Terre tient ses promesses
> Et la forêt pare ses riches frondaisons.
> Pour couche les troupeaux ont toute la montagne
> Dormant jusque le jour enfin rougeoie.
>
> Un frais zéphyr à l'ouest passe et murmure.
> Joueurs, les oiseaux volent çà et là en sifflant
> Et le rossignol trille son chant, disant : Joie !
> C'est ici la demeure d'Évan et d'Hanna
> Et nous avons mal…
> Et nous avons mal…
> Et nous avons mal…

Une fois la cérémonie terminée, tout le village se retrouva à la taverne du port où un banquet les attendait. Durant la soirée, chacun y alla d'une histoire amusante sur Évan et d'un compliment sur Hanna. Sartigan se leva et prit aussi la parole. Comme les béorites parlaient la langue du pays, le vieillard avait hérité de deux oreilles d'elfe en cristal. Ainsi équipé, il avait pu suivre avec attention la cérémonie. La pointe de ses oreilles bien cachée sous un bandeau, le vieil homme dit :

— Si vous me le permettez, j'aimerais vous raconter une histoire !

— Allez-y ! lança Helmic l'Insatiable avec énergie. J'adore les histoires !

— Un jour, un homme perdit son cheval. L'animal se sauva et galopa loin de son maître. Comme la bête était magnifique, l'homme fut peiné de cette perte, mais il se dit : « Pourquoi ce malheur ne se transformerait-il pas en bonheur ? » Après plusieurs mois, le cheval revint, accompagné d'une autre bête aussi belle que lui. L'homme avait maintenant deux magnifiques chevaux, mais il se dit : « Pourquoi ce bonheur ne se transformerait-il pas en malheur ? » Un jour, le fils de cet homme, qui aimait chevaucher dans les prés, fit une terrible chute et perdit l'usage d'une jambe. L'homme regarda son fils, maintenant handicapé pour la vie et se dit :

« Pourquoi ce malheur ne se transformerait-il pas en bonheur ? » Un an après, de puissants ennemis attaquèrent le royaume, et tous les jeunes hommes furent envoyés au combat. La plupart des soldats moururent. Comme le fils de l'homme était handicapé, il ne fut pas mobilisé et put rester avec son père. Comprenez-vous ce que je veux vous dire par cette histoire, braves citoyens d'Upsgran ?

— Tu veux nous dire de ne jamais faire confiance aux chevaux ! s'écria Goy du fond de la salle.

— Mais non ! intervint immédiatement Kasso, frère de Goy. Ce que Sartigan veut dire, c'est qu'un bonheur n'est jamais loin d'un malheur et qu'il faut faire confiance au destin. Si Évan et Hanna sont morts, c'est pour que Béorf accomplisse sa destinée parmi nous.

— Je pense que Kasso a raison, affirma Banry. Le destin vous a menés jusqu'ici et ce n'est certainement pas pour rien.

— Si vous permettez, dit Amos, je vous explique. Nous sommes à la poursuite des bonnets-rouges et nous savons de source sûre que les gobelins pillent les villes et les villages pour amasser un grand trésor qui servira de couche à un… à un dragon.

À l'évocation de la bête de feu, il y eut un gémissement de frayeur dans l'assistance.

— Ces créatures, continua Amos, ont tué mon père et capturé ma mère. Je dois retrouver ma mère et combattre du mieux que je peux ce dragon. Sartigan est là pour m'aider dans ma tâche et Béorf est mon bras droit. Il est le plus fidèle des garçons que je connaisse…

— Tu en as assez dit, jeune homme, l'interrompit Piotr le Géant. Les Vikings, plus au nord, regroupent en ce moment une grande armée pour combattre ce dragon. Ils ont envoyé un émissaire ici, à Upsgran. Le roi Harald aux Dents bleues nous invite à joindre ses rangs. Jamais les béorites ne se sont mêlés aux affaires vikings, mais je crois maintenant qu'il est temps que nous agissions.

— Je suis d'accord, approuva Banry. Seulement, il existe une tradition selon laquelle nous devons offrir un cadeau d'allégeance au roi Harald. Nous devons donner une importante somme d'argent afin de contribuer au trésor de guerre.

— Mais nous n'avons pas un sou ! ajouta Hulot Hulson. Vaut mieux tout oublier ! Restons ici… Nous sommes bien ici, chez nous ! Je suis pour l'aventure, mais là… un dragon… ce n'est pas de l'aventure, c'est du suicide !

— J'ai ce qu'il vous faut ! s'exclama Amos en se dirigeant rapidement vers la sortie de la taverne. Viens, Béorf, tu vas leur faire un cadeau.

Les garçons se rendirent dans l'étable qui abritait le mulet et prirent la cassette remplie de saphirs. Ils revinrent dans la taverne, la posèrent au centre d'une table et en dévoilèrent le contenu. Des exclamations de surprise et d'admiration fusèrent de toutes parts.

— C'est pour le trésor de guerre ! lança fièrement Béorf.

— Tu es le digne fils de ton père, dit Banry, rempli de fierté pour son neveu. Helmic l'Insatiable ! Goy et Kasso ! Piotr le Géant ! Alré la Hache ! Rutha la Valkyrie ! Chemil aux Doigts de fée et Hulot Hulson ! Préparez-vous !... Dans une semaine, NOUS PARTONS À LA GUERRE !

— ET LE DRAGON A INTÉRÊT À RESTER DANS SON TROU ! hurla Helmic en brandissant sa longue épée.

10

La mer du Nord

Pendant une semaine, les préparatifs du voyage allèrent bon train. On choisit le plus robuste des drakkars du port pour servir de vaisseau de guerre. Il fut renforcé de la coque jusqu'en haut du mât. Le forgeron installa à la proue un énorme pieu de métal pouvant embrocher et couler de plus petites embarcations. Une nouvelle voile de couleur rouge sang fut tressée par les femmes du village, et quelques charpentiers taillèrent des rames plus longues et plus résistantes.

Une impressionnante quantité de nourriture fut chargée à bord: des saucisses et de la viande fumée, des poulets rôtis et de grosses pièces de jambon salé, du poisson et des pots de légumes marinés, des pâtés, du fromage, du lait de chèvre, de l'hydromel, de la bière, du vin, des patates, des haricots, de la farine de sarrasin, du pain et une étonnante quantité de miel. En plus des armures en cotte de mailles, des longues lances, des haches, des boucliers, des casques, des arcs et des flèches, il y avait des dizaines de fourrures pour les nuits glaciales en mer, des vêtements de rechange, une meule pour aiguiser les armes, des ballots de plantes médicinales, des instruments de navigation, des outils de toutes sortes, des chandelles, des lampes à huile, un brasero et du bois de chauffage.

Au fil des jours, l'embarcation ressemblait de moins en moins à un navire de guerre et de plus en plus à un navire marchand. En mer, les béorites ne voulaient manquer de rien et c'est précisément pour cette raison qu'ils prirent une semaine entière pour préparer le voyage. Béorf passa le plus clair de son temps à aider aux préparatifs.

Amos et Sartigan se préparèrent eux aussi, mais à leur façon. Le vieillard commença l'entraînement physique et psychologique du jeune porteur de masques. Il lui raconta plusieurs histoires, dont celle-ci :

— Dans mon pays, disait-il, il y a longtemps de cela, un puissant roi n'ayant pas de descendants pour lui succéder sur le trône décida de faire un grand concours. Celui qui serait assez adroit pour allumer une chandelle avec une seule flèche deviendrait le nouveau roi. Les meilleurs archers du royaume accoururent et tentèrent leur chance. Ils exécutèrent d'habiles tirs qui souvent frôlèrent la mèche, mais sans jamais l'allumer. Le roi était découragé. Il pensait qu'il n'allait jamais trouver de successeur. Comme il allait arrêter le concours, un jeune paysan se présenta. Le garçon prit une flèche dans sa main droite et refusa l'arc qu'on lui tendait. Il enduit la flèche de suif, y mit le feu et marcha ensuite jusqu'à la chandelle. D'un simple mouvement, il alluma la bougie. Le règlement du concours spécifiait que celui qui serait assez adroit pour allumer une chandelle avec une seule flèche deviendrait roi. Jamais le régent n'avait mentionné qu'il fallait se servir d'un arc! Dans la vie, il arrive souvent que nous présumions des choses sans en comprendre véritablement le sens. Il faut savoir aller au-delà des apparences...

Amos aimait beaucoup les histoires de son nouveau maître. Ces récits pleins de sagesse l'obligeaient à réfléchir et à se remettre en question. Le porteur de masques commença également à faire de longues séances de méditation. Sartigan lui demandait de se concentrer pour laisser circuler en lui la magie. Pour devenir un bon mage, Amos devait garder la tête froide en toutes circonstances, il devait laisser ses émotions de côté, oublier sa haine pour les assassins de son père et toujours agir le plus rationnellement possible.

Pour renforcer ses enseignements, Sartigan lui avait raconté l'histoire de son propre maître. C'était un moine qui parlait peu, mais qui était doté d'une incroyable vivacité d'esprit. Le sage homme s'était rendu à un important tournoi de tir à l'arc avec ses disciples. Là étaient réunis les meilleurs archers de tous les pays. Malgré le peu d'intérêt qu'il avait pour cet art et son manque d'entraînement, le sage moine gagna la compétition en tirant trois flèches exactement au centre de la cible. Sartigan, alors jeune et talentueux archer, accepta mal la victoire de son maître. Il demanda respectueusement au sage la recette de son succès. Le moine lui dit que tous les archers du tournoi étaient en compétition les uns contre les autres et qu'ils désiraient ardemment gagner. La pression du tournoi avait alourdi leurs gestes. Ils avaient des regards anxieux et semblaient mal contrôler leur pouls. Ces archers ne voulaient pas véritablement gagner ! Ils avaient simplement peur de perdre ! Pour gagner, il faut savoir garder le cœur léger et l'esprit serein. La peur ne sert à rien, elle doit être remplacée par la connaissance !

— Vous parlez souvent de connaissance, maître Sartigan, lui fit remarquer Amos. Mais qu'est-ce que la véritable connaissance ?

— La connaissance, c'est suivre son propre chemin ! s'exclama le vieillard, ravi de cette question.

— Oui, répondit Amos, mais comment appliquer cela à la vie quotidienne ?

— Je te réponds par une autre question, jeune homme, poursuivit Sartigan. Si tu avais à choisir une des sept couleurs de l'arc-en-ciel, laquelle choisirais-tu ?

— Quelles sont ces couleurs ? demanda Amos.

— Le rouge, l'orangé, le jaune, le vert, le bleu, l'indigo et le violet, énuméra le maître.

— Je pense que… je pense que je choisirais la couleur qui resterait dans mes yeux une fois que l'arc-en-ciel aurait disparu.

— Voilà ! s'écria Sartigan avec une fierté évidente. Tu viens de répondre toi-même à ta question. La connaissance, c'est ce qui reste lorsque tout a disparu. Voilà pourquoi il est important d'apprendre, d'apprendre beaucoup et toujours. À tout âge, nous avons des milliers de choses à apprendre. Tous les jours, il y a des centaines d'expériences à faire, et la connaissance, eh bien… c'est ce qui reste de ces apprentissages ! Exactement comme tu as dit, c'est la couleur qui demeure dans nos yeux.

— Vous me raconterez encore vos histoires lorsque nous voguerons sur la mer ? demanda

Amos. Je les aime beaucoup… Elles me donnent confiance.

— Je ne partirai pas avec toi, dit Sartigan. Je reste ici et je t'attendrai.

— Mais j'ai besoin de vous!… répliqua Amos, un peu confus. Vous êtes chasseur de dragons… Vous devez venir avec moi. Je ne serai jamais capable de combattre seul une telle créature!

— Voilà que tu oublies déjà mes leçons! Ma voie n'est plus de chasser des dragons… Je suis maintenant là pour t'enseigner ce que je sais. Il te faut combattre seul. Ce n'est pas moi, le porteur de masques, c'est toi… C'est TA voie!

— Mais comment… comment faire sans vous?

— Rappelle-toi cette histoire qui te dit de voir au-delà des apparences et celle qui te recommande de ne pas avoir peur de perdre. Avec ces deux principes, tu vaincras le dragon!

— Mais comment les appliquer? s'inquiéta Amos.

— Par la connaissance! Mes leçons s'arrêtent ici maintenant. J'attendrai ton retour dans ce village.

— Et si… et si, je ne revenais pas?… demanda Amos avec hésitation.

— Eh bien, je mourrais en t'attendant…, répondit calmement Sartigan. Mon dieu m'a libéré des glaces et fait revivre pour devenir ton maître et, par la même occasion, celui de Béorf. Le jeune hommanimal n'est pas encore tout à fait prêt à recevoir mes enseignements. Il le sera à votre retour. Si, bien sûr, vous revenez... Allez ! maintenant, prépare tes affaires, car les béorites sont enfin prêts à partir.

Amos rassembla ses maigres effets personnels, récupéra ses oreilles de cristal et se dirigea vers le drakkar. L'équipage prenait lentement place à bord. Béorf s'activait et obéissait aux moindres commandements de son oncle Banry. Tout semblait paré pour effectuer une longue traversée et le jeune porteur de masques embarqua.

— Alors, Amos, tu n'es pas excité de partir ? demanda Béorf.

— Si... mais j'ai déjà été plus joyeux, répondit un peu amèrement le garçon. Je croyais que Sartigan viendrait avec nous...

— QUOI ? IL NE VIENT PAS ? s'écria le béorite.

— Non. Il pense que c'est ma voie d'affronter seul la bête... Tu comprends, comme il était chasseur de dragons, j'avais cru... enfin, j'avais supposé qu'il nous accompagnerait pour s'occuper lui-même de la créature. Je tente de penser comme lui et je me dis... et si ce malheur se transformait en bonheur !

— Mais si ce malheur se transformait en un plus gros malheur encore ? demanda Béorf, inquiet.

— Je ne sais pas, je ne sais plus…, dit Amos en haussant les épaules. Nous verrons bien…

Dans le froid d'un hiver de plus en plus rigoureux, le drakkar leva sa grande voile carrée et quitta lentement le port. Chaque membre de l'équipage était installé derrière une rame. Banry, à la barre, entonna une chanson traditionnelle, et les rameurs se mirent en mouvement en suivant la cadence. Béorf et Amos partageaient le même banc et la même rame. Tout le village était rassemblé sur les quais pour voir partir les valeureux guerriers. Le navire eut tôt fait de quitter la baie et de gagner la mer.

Pendant trois jours consécutifs, les béorites du navire ramèrent sans manger, sans dormir ni prendre le moindre moment de repos. Amos se souvint de ce qu'avait dit Sartigan à Béorf. Les hommes-ours étaient dotés d'une force exceptionnelle et ils avaient le choix entre hiberner ou non. Ces guerriers avaient maîtrisé leur appétit. Ils savaient exactement quand se dépenser et quand se sustenter. Le drakkar avançait à vive allure. Aucun humain n'aurait pu soutenir une telle cadence.

Helmic l'Insatiable ramait sauvagement, Alré la Hache suait à grosses gouttes pendant que

Piotr le Géant, un aviron dans chaque main, accomplissait à lui seul le travail de deux béorites. Rutha Bagason dite la Valkyrie ne donnait pas non plus sa place et narguait Goy par sa technique. Seul Kasso Azulson ne ramait pas. Il s'occupait de la voile, observait les étoiles et décidait de la trajectoire du navire. Comme navigateur, on ne pouvait trouver mieux. Banry, capitaine et barreur, avait une confiance aveugle en son bras droit. Kasso était capable d'anticiper les mouvements du vent et connaissait les courants marins comme personne. Chemil aux Doigts de fée partageait une rame avec Hulot Hulson. Ces deux béorites n'étaient jamais sortis d'Upsgran et c'est avec crainte qu'ils avaient entrepris ce voyage. Pour réparer les bateaux, il n'y avait pas meilleur charpentier que Chemil, et Hulot était un orateur extraordinaire. Banry l'avait choisi afin que, à leur retour, il témoigne de leur voyage et raconte la grande aventure des béorites d'Upsgran.

Après trois jours de navigation dans de difficiles conditions de froid, de vent et de vagues menaçantes, Kasso cria :

— Dernière ligne droite avant l'île de Burgman !

— Ramez, mes amis ! cria Banry en entonnant une chanson plus rythmée.

Amos, épuisé par le voyage, n'avait presque pas dormi. Souffrant du mal de mer, il était resté couché, après le départ, dans la cale du drakkar. Pendant le trajet, il avait été malade à plusieurs reprises. Le garçon n'avait plus qu'une envie: atteindre le plus rapidement possible la terre ferme.

Béorf, pour sa part, se portait plutôt bien. Même si son estomac le torturait affreusement, il se comportait comme un vrai béorite. Comme les autres, il n'avait rien avalé depuis trois jours. Son jeune âge ne lui permettant pas de suivre le rythme des adultes, il s'était endormi à plusieurs reprises. Le gros garçon avait naturellement le pied marin et sa présence était d'une aide précieuse pour tout l'équipage. En plus de s'occuper d'Amos, il avait donné un bon coup de main à Kasso pour ajuster la voile et faisait régulièrement boire les rameurs. Béorf avait également tenu quelquefois la barre pendant que Banry était occupé à déchiffrer les cartes marines.

Le drakkar s'immobilisa sur les rives d'une baie de l'île de Burgman. Rapidement, les béorites halèrent l'embarcation jusqu'à une plage de galets et entreprirent d'installer leur camp. Prodigieusement efficaces, les membres de l'équipage savaient exactement ce qu'ils devaient faire. En un tour de main, la grande tente fut montée et un somptueux repas fumait dans les gamelles. Les hommes-ours dévorèrent une incroyable quantité de viande. Le bruit de leurs mâchoires, accompagné de leurs borborygmes de contentement, avait envahi la côte, jusque-là silencieuse, de la petite île. Seul Kasso ne mangeait que des noix et des raisins.

Après le repas, tous les béorites se jetèrent dans la mer glacée pour y faire quelques brasses. Béorf hésita longuement avant de plonger, mais, encouragé par Amos, il trouva la volonté d'affronter l'épreuve. Cette baignade traditionnelle avait pour but de saisir les muscles endoloris par l'effort en augmentant le flux sanguin. Le froid accélérait les battements du cœur. Une grande quantité de sang était ainsi propulsé du bout des doigts jusqu'aux orteils, ce qui aidait les muscles à se refaire. Il n'y avait rien de plus bénéfique pour un homme-ours ! Amos pensa que ce traitement-choc, surtout après un copieux repas, aurait été un suicide pour un humain. Il demeura donc assis sur la plage, regarda la scène avec plaisir en s'amusant des exclamations et des commentaires des baigneurs.

Le bain terminé, l'équipage s'installa confortablement dans la tente et y dormit deux jours entiers. Amos trouva difficilement le sommeil à cause des ronflements sismiques des béorites. Il eut plusieurs fois l'impression que l'île tremblait sous les soubresauts d'un volcan. Il quitta la tente pour aller se reposer sous une bonne dizaine de peaux dans le drakkar. Les hommes-ours avaient parfois des comportements bien étranges, se dit-il. Ils n'avaient guère de mesure. Pour eux, c'était tout ou rien! Cela expliquait probablement l'amitié indéfectible de Béorf à son égard.

C'est Kasso qui se réveilla le premier. Le navigateur alla chercher un grand seau d'eau glacée et se mit à en asperger ses équipiers.

— Allez, les béorites! cria-t-il. Nous avons encore du chemin à faire! L'hibernation, ce sera pour une autre fois! DEBOUT, BANDE DE FAINÉANTS!

— Pourquoi les réveillez-vous si brutalement? demanda Amos, surpris.

— Parce qu'ils ont encore trop mangé! Si je ne fais pas ça, dans deux semaines ils seront encore là à ronfler. Voilà pourquoi, moi, je mange peu, c'est pour ne pas trop dormir! Il faut dire que je n'ai pas la même dépense d'énergie... Je ne rame pas, moi.

— Je vois, dit Amos en souriant. Ce sont véritablement des ours et l'hiver...

— Et l'hiver, ils dorment! continua le navigateur en aspergeant Helmic l'Insatiable. DEBOUT, BANDE DE MOLUSQUES! ACTIVEZ-VOUS! NOUS PARTONS BIENTÔT!

Un à un, les béorites se levèrent très difficilement. Trempés, ils ne paraissaient pas surpris le moins du monde de s'être fait réveiller de cette manière. Banry eut droit, lui aussi, à une douche bien glacée et lança, le visage ruisselant et les yeux encore mi-clos :

— Merci, Kasso, on peut toujours compter sur toi !

— À la bonne heure ! répondit le navigateur en aspergeant tout aussi violemment son frère Goy.

— MAIS QU'EST-CE QUI SE PASSE ? hurla Béorf lorsque ce fut son tour de recevoir le seau d'eau.

— Ce n'est rien, Béorf ! fit Amos en rigolant. C'est apparemment la seule façon de vous réveiller... Je m'en souviendrai l'hiver prochain !

Après un copieux petit-déjeuner, le groupe reprit la mer en direction des terres de Harald aux Dents bleues. Amos se sentait mieux et le mal de mer n'était plus maintenant qu'un mauvais souvenir. Il faut dire que les eaux étaient beaucoup plus calmes et que le drakkar ne tanguait presque pas. Le vent était tombé et la voile avait été remontée. Banry chantait joyeusement pour donner le rythme aux rameurs lorsqu'il s'arrêta brusquement. Le capitaine se leva de son banc et regarda l'horizon tout autour de lui. Solennellement, il fit ensuite face à son équipage et dit :

— Des merriens !... Je les sens venir, ils nagent sous l'eau et nous entourent !

— Laissez-les-moi ! lança agressivement Alré la Hache en exhibant son arme à deux tranchants. S'il vous plaît, laissez-les-moi !

— Nous mangerons du poisson ce soir, Alré ? demanda Rutha la Valkyrie. Je peux peut-être t'aider à faire quelques filets !

— FERMEZ-LA! ordonna Banry. De un, bouchez-vous les oreilles avec du suif ! Et de deux, faites les morts. Vous attendez mon signal et vous me les réduisez en bouillie ! Est-ce clair ?

— C'est clair comme le jour qui se lève ! grogna Helmic en serrant les dents. Surtout pour la bouillie…

— Mais qu'est-ce qui se passe ? demanda nerveusement Béorf à Amos.

— Je pense que nous allons subir une attaque de merriens, répondit le jeune porteur de masques. Je me souviens de ce que la sirène Crivannia m'a raconté à leur sujet. Les merriens ressemblent aux sirènes à la seule différence qu'ils sont d'une laideur repoussante. Comme elles, ils utilisent leur voix pour envoûter les hommes. Ces monstres marins dévorent ensuite leurs victimes, pillent les cargaisons et coulent les navires pour s'en faire des demeures dans les profondeurs de l'océan. J'ai aussi lu, dans *Al-Qatrum, les territoires de l'ombre*, que les merriens portent des bonnets rouges à plume. Ce sont certainement les cousins aquatiques des gobelins !

— Pourquoi n'utiliserais-tu pas ton collier pour faire apparaître quelques molosses? demanda Béorf avant de se boucher les oreilles.

— Non… J'ai une autre idée.

Le porteur de masques mit ses oreilles d'elfe et attendit patiemment en faisant le mort ainsi que l'avait ordonné Banry. Il s'était rappelé que Gwenfadrille avait dit que ses oreilles de cristal le protégeraient des chants d'envoûtement. Soudain, Amos distingua la complainte lancinante des merriens. Se mêlant aux bruits du vent et des vagues, une douce mélodie s'éleva. La chorale de voix cristallines chantait doucement:

Seul dans sa frêle barque,
Le navigateur va sur le vaste océan.
Très haut scintillent les étoiles
Et dans les profondeurs
Il entend l'appel de sa tombe.
En avant! Telle est sa destinée!
Au fond du ciel comme des flots,
C'est nous, qu'il trouvera…
C'est nous, qu'il trouvera…

En penchant la tête vers le fond de l'embarcation, Amos fredonna:

Monter sans crainte,
Leur temps, depuis des lunes, est terminé

Ce drakkar est un cercueil
Qui vogue vers les brumes des dieux

Le chant s'arrêta net, laissant place à un angoissant silence. Puis une voix se fit entendre :

Qui es-tu, frère des eaux ?
Toi qui nous parles en notre langue,
Mais qui articules comme un humain ?

Amos, se rappelant les leçons de Sartigan, demeura calme et répondit :

Je suis merrien,
Je suis blessé,
Prisonnier d'un filet
J'ai voulu fuir
La bouche brisée par leur haine
Je me suis vengé et les ai tués

La voix reprit :

Frère, nous arrivons
Nous montons et les dévorerons

D'horribles mains palmées aux ongles longs et répugnants se posèrent sur les bords du drakkar. Des visages apparurent de tous les côtés du navire. Le plus gros des merriens, probablement le chef, se glissa dans le bateau. Il était d'une indicible laideur. Une énorme bouche laissait entrevoir des centaines de fines dents de poisson qui tapissaient entièrement son palais. Couvert d'écailles poisseuses et malodorantes, il arborait une crête en forme de raie qui débutait au sommet de la tête et se terminait deux mètres plus bas, au bout de la queue. Il avait de petits yeux perçants, une grande queue de poisson à la place des jambes, et des algues vertes lui couvraient abondamment la tête, les épaules et le dos. Le chef était très robuste et semblait avoir, dans la main, une arme ressemblant à un oursin. Un bonnet rouge à plumes était posé sur le côté droit de sa tête.

Au moment où le merrien s'approcha de Rutha la Valkyrie en rampant, Banry saisit rapidement une longue épée et trancha la tête de la créature. Le signal était donné ! Les béorites avaient maintenant de longues griffes et des dents acérées. Helmic s'empara d'un merrien, le tira hors de l'eau et lui broya le cou. Piotr le Géant en assomma cinq d'un seul mouvement pendant que Rutha et Goy se placèrent dos à dos en prévision de l'invasion du drakkar. Hulot et Chemil s'abritèrent derrière Alré la Hache pour être sûrs de ne pas recevoir de coups, et Kasso grimpa en haut du mât. Béorf se colla à Amos et lui dit :

— Tu ne pourrais pas nous faire un de tes tours, maintenant ?

— Ne t'en fais pas… ça vient !

Le jeune porteur de masques mata sa peur et se concentra. Les haches et les épées des béorites, ensorcelées par la magie, commencèrent à rougeoyer. Alré cria :

— Nos haches ! Nos lames deviennent rouges ! Les lames chauffent ! Les dieux sont avec nous !

Stimulée par cet événement surnaturel, la force des béorites décupla. Les merriens tentaient en vain de monter sur le bateau. Les lances, les haches et les épées leur perçaient la peau et leur brûlaient la chair. Kasso, assis sur la barre transversale du mât, décochait flèche sur flèche avec la précision d'un elfe. Helmic se battait sans arme, donnant de terribles coups de griffes au visage de ses adversaires. Alré la Hache hurlait de bonheur en tranchant les têtes les unes après les autres. Une nauséabonde odeur de poisson avait envahi les lieux. Épée à la main, Banry s'en donnait à cœur joie et chantait maintenant un hymne guerrier des temps anciens. Goy et Rutha se tenaient à la proue du drakkar et tuaient sans pitié ni remords.

Soudain, Helmic fit un faux mouvement et tomba par-dessus bord. Piotr le Géant hurla, entre deux coups d'épée :

— UN OURS À LA MER! UN OURS À LA MER!

Sans faire ni une ni deux, Béorf sauta à l'eau. Amos saisit une épée, enflamma sa lame d'un feu magique et la lança dans la mer. Il se concentra pour que l'arme demeure embrasée une fois submergée. Son ami étira la main et saisit, sous l'eau, la poignée de l'épée.

Béorf aperçut un merrien qui entraînait Helmic vers le fond. Ce dernier se débattait sans pouvoir se libérer. Le jeune béorite lança l'épée de toutes ses forces en direction de la créature. L'arme, ensorcelée par le feu, fendit l'eau et alla se loger dans l'épaule du monstre. Celui-ci lâcha sa prise et Helmic, presque asphyxié, fit des efforts désespérés pour remonter vers la surface.

Sur le drakkar, la bataille se poursuivait. Banry, dans le feu de l'action, ordonna:

— Descends la voile, Kasso, il faut nous dégager!

À ce moment, Béorf réapparut en soutenant Helmic. Hulot Hulson trouva enfin le courage d'agir. Il sortit son épée, blessa un merrien et aida les deux béorites à sortir de l'eau. La voile tomba et Banry hurla:

— Si véritablement les dieux sont avec nous, le vent se mettra à souffler pour nous amener loin d'ici!

Amos ferma les yeux et tendit sa main vers le ciel. Aussitôt, une brise se leva. La voile se gonfla un peu et le drakkar bougea lentement. En employant toute son énergie, le porteur de masques fit fraîchir la brise jusqu'à ce qu'elle devienne vent, puis grand vent. Les béorites se ruèrent sur les avirons et se mirent à souquer ferme. En quelques minutes, l'équipage avait quitté le lieu du combat en laissant derrière eux leurs ennemis.

— Ils ne nous suivent pas! cria énergiquement Kasso, toujours en haut du mât. Regardez, ils se dispersent! Nous avons gagné cette bataille, mes frères! Nous avons gagné!

— NOUS AVONS GAGNÉ! répétèrent d'une seule et même voix les autres béorites.

Le vent tomba soudainement, sans raison apparente. Amos était assis par terre, tout essoufflé et en sueur.

— Beau travail, Amos! complimenta Béorf.

— Merci! Ce que tu as fait n'était pas mal non plus! J'ai bien aimé mon idée de lancer l'épée en feu dans l'eau! Pas toi?

— Génial! Et ton vent ne s'est pas transformé en cyclone! se moqua gentiment le béorite. Je pense que les enseignements de Sartigan t'ont été profitables... Je suis ravi de constater que tes pouvoirs ne détruiront pas toujours tout sur ton passage!

— J'ai une meilleure maîtrise de ma magie, mais elle est encore très difficile à contrôler ! Elle est un peu comme un cheval fou qui galope en moi… Enfin, je suis content, je fais des progrès.

— Repose-toi…, dit Béorf en s'essuyant les cheveux avec un morceau de tissu. Il reste encore quelques longues journées de navigation à faire.

— Combien ? demanda Amos.

— Trois jours ! lui répondit la voix de Banry. Il reste trois jours d'efforts…

11

Chez Harald aux Dents bleues

— Faites entrer les béorites ! cria une voix grave et agressive.

Les deux immenses portes de bois qui menaient à la salle du trône de Harald aux Dents bleues s'ouvrirent dans un grincement sonore et strident. Les béorites, Banry en tête, s'avancèrent dignement vers le roi. De chaque côté de l'allée conduisant au trône, des centaines de Vikings s'étaient massés pour voir les hommes-ours. Les hommes du Nord avaient les yeux ronds et tâtaient nerveusement leur arme. Hulot Hulson dit la Grande Gueule devança Banry et s'arrêta devant l'immense trône de bouleau blanc du roi. Comme le voulait la tradition, Hulot y alla d'une présentation solennelle :

— Nous, les fils d'Upsgran, dernier des villages de béorites du Sud, sommes venus à vous pour vous aider dans votre quête. Un de vos émissaires est venu en nos terres, implorant notre aide. Nous sommes des gens de cœur et de courage. Bien que notre race se mêle peu aux humains, nous avons décidé de combattre sous vos ordres ! Je vous présente les braves qui ont affronté mille et un dangers pour…

— FERME TA SALE GUEULE D'OURS MAL LÉCHÉ ! hurla le roi avec haine et mépris. Montre-moi ce que tu apportes pour l'effort de guerre et nous verrons ensuite si j'ai envie d'entendre tes sornettes !

Helmic voulut sortir sa hache et bondir sur ce roi grossier et ingrat, mais Alré l'en empêcha en l'exhortant discrètement au calme. Chemil s'avança et déposa aux pieds d'Harald la cassette pleine de saphirs. Le roi la fit ouvrir par un de ses hommes. Devant la splendeur des pierres, il s'exclama :

— J'accepte votre présent avec plaisir ! Maintenant, foutez-moi le camp et allez vous perdre dans les bois pour qu'on vous oublie.

— Mais…, fit Hulot, perplexe, mais… je ne comprends pas ! Avons-nous fait quelque chose qui vous déplaise ?

— Vous arrivez trop tard, bande de stupides animaux de cirque ! cria le roi, hors de lui. Vous savez ce que cela veut dire… TROP TARD ? Il n'y a plus de guerre et plus de combats. Les peuplades du Nord ont signé une entente avec l'Ancien dans la montagne.

— Mais… les bonnets-rouges… ne vous attaquent-ils pas ?

— Les bonnets-rouges et les merriens sont maintenant avec nous, dit Harald en ricanant. La grande armée viking ne servira pas à détruire la bête de feu, mais plutôt à l'aider dans sa noble tâche.

— Et quelle est cette si noble tâche ? demanda Alré en glissant subtilement la main sur son arme.

— Celle de conquérir le monde ! lança Harald comme s'il s'agissait d'une bonne blague. C'est exactement ce qui va se produire. Les Vikings savent où se trouve leur intérêt supérieur. Retournez chez vous, petits béorites insignifiants, et préparez-vous à la visite des gobelins. Si vous leur remettez tous vos objets de valeur, tout votre or, vos pierres et votre argent, peut-être vous laisseront-ils en vie !

Il y eut à ce moment un grand éclat de rire général dans la salle. Les Vikings se moquaient des hommes-ours, les narguaient et leur lançaient des insultes. Les hommes du Nord s'avançaient et entouraient lentement les béorites. Leurs intentions étaient claires: ils n'avaient pas envie de laisser partir les hommes-ours. Mais les béorites n'allaient pas se laisser faire. Banry se pencha vers Béorf et lui dit à l'oreille:

— Tu vois pourquoi notre peuple s'est toujours tenu à l'écart des humains! Si ton ami le jeune magicien... car il est magicien, n'est-ce pas?

— En quelque sorte, confirma Béorf.

— Bon, s'il a un truc pour nous sortir d'ici, il faudrait qu'il l'utilise, sinon tout cela va se terminer dans un bain de sang. Nos amis vont bientôt sortir leurs griffes et plus rien ne pourra les arrêter.

— C'est à toi de jouer! lança Béorf en se tournant vers Amos.

Le jeune porteur de masques s'avança vers le trône. Le roi fit calmer l'assistance d'un geste ferme et autoritaire. Puis il dit:

— Tiens! en voici un qui n'est pas de leur race. Ses sourcils ne se rejoignent pas au-dessus de son nez et il n'a pas encore de barbe! Tu dois être un humain, vermisseau?

— Croyez-vous aux elfes? demanda naïvement Amos.

— On dit qu'ils existent, mais je n'en ai jamais croisé! répondit le roi ironiquement. C'est comme les fées! Moi, tout ce que je vois, ce sont des gobelins!

— Eh bien, voyez de vos yeux ! lança Amos en dévoilant ses oreilles.

L'assistance eut un mouvement de recul. Les hommes-ours se regardèrent les uns les autres, incrédules. La supercherie semblait fonctionner à merveille.

— Les béorites ont conclu une entente avec les elfes, continua Amos. Nous savons maintenant qui sont nos amis et qui sont nos ennemis. Comme vous le savez sûrement par les légendes, nos pouvoirs sont grands ! Laissez-nous partir et vous ne subirez pas ma colère !

— Un elfe ! s'écria Harald. Et que pourrais-tu faire, petit lièvre excité, contre une centaine de mes hommes ?

Amos recommençait à perdre la maîtrise de ses émotions. Harald était un être irrespectueux et vulgaire, un roi méprisant et suffisant. Le garçon l'avait tout de suite détesté et sa magie, excitée par la haine, commençait à galoper dans ses veines. Un feu brûlant lui chauffait les entrailles. Le porteur de masques se rappela les mots de son maître. Il se remémora également le rêve où son père lui avait dit de se méfier de la colère.

— ALORS, L'ELFE ! hurla le méchant roi, TU NE RÉPONDS PAS À MA QUESTION ? QUE PEUX-TU FAIRE CONTRE CENT DE MES HOMMES ?

Amos avait du mal à respirer. Sentant ce qui allait se passer, Béorf avertit discrètement ses amis béorites du danger potentiel que représentait le porteur de masques. Celui-ci vit encore une fois apparaître le peuple des flammes devant ses yeux. Un petit bonhomme de lave gigotait devant lui en suppliant :

— Soit notre dieu ! Soit notre maître ! Libère-nous… Nous sommes un bon peuple, nous ne ferons pas de mal… Libère-nous !

En sueur et étourdi, Amos s'écroula sur le sol.

— Eh bien ! s'exclama le roi, quelle puissance et quelle force dans cet elfe ! À peine est-il capable de marcher et il me menace de ses pouvoirs !

— Libère-nous ! insistait le petit bonhomme de lave. Vas-y, sois notre dieu et laisse-nous servir ta haine ! Laisse-nous te servir ! Nous sommes un bon peuple, un bon peuple !

Le jeune porteur de masques tremblait. Il tentait de se contrôler, mais il ne pouvait s'empêcher de penser à la mort de son père, à l'enlèvement de sa mère, à la disparition de Junos et à la sauvagerie des bonnets-rouges. Toutes ces images tourbillonnaient dans sa tête à un rythme fou. Amos avait une terrible envie de faire exploser ce lieu de mensonges, ce royaume de trouillards ! En même temps, il pensait aux enseignements de Sartigan. Dans son délire, le garçon avait l'impression que son maître était là et lui répétait ce qu'il lui avait déjà dit :

— Rappelle-toi, Amos, qu'une fine pluie est bénéfique pour la terre alors qu'un ouragan détruit et ne laisse que le chaos. Tu es la pluie et pas l'ouragan !

— Libère-nous, maître ! ALLEZ ! criait le petit bonhomme de lave. VAS-Y !

— Qu'on lui coupe la tête ! ordonna Harald. J'ai toujours rêvé d'avoir une tête d'elfe sur ma cheminée.

Un homme se dégagea du groupe des Vikings et leva sa hache afin d'exécuter les ordres du roi. Les béorites firent un pas en avant pour intervenir. Amos reprit le contrôle de lui à l'instant précis où la situation allait tourner au carnage.

Le garçon se releva et pointa du doigt son agresseur. Le Viking reçut en plein visage une boule de feu qui fit s'enflammer sa barbe et ses cheveux. Une exclamation de surprise s'éleva dans la salle. Personne n'osait plus bouger. Les yeux fixés sur Amos, les spectateurs virent sa magie à l'œuvre. Un vent puissant défonça les grandes portes et vint souffler avec force dans la salle du trône. Le porteur de masques concentra l'air autour de lui dans un tourbillon. Ses pieds quittèrent soudainement le sol. Amos était en lévitation.

Des trombes d'eau déferlaient maintenant dans la pièce. Cette marée venue d'on ne sait où entrait sans ménagement par l'ouverture des grandes portes. Avec elle, des centaines de kelpies pénétrèrent dans la salle du trône. Ces créatures des mers, mi-hommes, mi-chevaux, avaient les membres inférieurs et la tête d'un pur-sang, le torse et les bras d'un humain, une queue, une crinière et trois doigts dans chaque main. Marchant rapidement sur l'eau, ils vinrent s'interposer entre les Vikings et les béorites. Amos, toujours en lévitation, semblait être entré en contemplation. Il fixait le plafond sans bouger, les bras en croix, pendant que le vent le soutenait dans les airs. Puis, lorsque tous les kelpies eurent pris position, le porteur de masque dit au roi, d'une voix qui n'était plus la sienne :

— Je suis Manannan Mac Lir, ton dieu ! Tu te souviens de moi, Harald aux Dents bleues ? Je suis celui que tu as oublié depuis trop longtemps. Je suis celui qui t'a aidé à gagner ce trône, mais qui n'a jamais reçu de prières de remerciements. Je suis celui que tu as trahi en t'associant au dragon. Je suis celui que tu ridiculises en traitant avec les merriens. Je suis celui qui en a assez de toi ! Tu me reconnais ?

Le roi Harald, paralysé par la peur, balbutia quelques mots incompréhensibles.

— Peureux, va ! continua Manannan Mac Lir. Écoute ce que je vais te dire et exécute mes ordres à la lettre. Dès demain, tu rompras toute alliance avec mes ennemis et tu recevras dignement les béorites. Ceux-ci te remettront une cassette pleine de saphirs magiques. Un de tes hommes de confiance amènera aussitôt les pierres précieuses dans ta forge, puis il quittera les lieux et fermera la porte. Il postera un garde à l'entrée afin qu'aucun mortel ne puisse y accéder. C'est ta dernière chance de retourner dans le droit chemin ! Tu feras ce que je te demande ou tu subiras ma colère ! Réveille-toi maintenant !

Harald ouvrit les yeux. Il était dans son lit et le soleil se levait doucement à l'horizon. Le roi hurla :

— GARDE ! GARDE !

— Que se passe-t-il, majesté demanda un garde en entrant dans la chambre.

— Demandez aux commandants de mon armée de venir à l'instant ! ordonna Harald. Je veux que mon conseiller aux affaires d'État annule toute entente conclue avec les armées de la bête de feu ! Que l'on prépare un repas digne de mes plus grandes réceptions et qu'on envoie au large une flotte pour accueillir un drakkar venant du sud ! Et... ET CESSEZ DE ME

REGARDER AINSI ET AIDEZ-MOI À M'HA-
BILLER!

12

Le nouvel Harald

— Faites entrez les béorites ! cria une voix énergique et excitée.

Les deux immenses portes de bois qui menaient à la salle du trône de Harald aux Dents bleues s'ouvrirent très cérémonieusement. Un grand tapis vert et bleu, arborant les symboles religieux du dieu Manannan Mac Lir, recouvrait le plancher de la pièce. Les béorites, Banry en tête, s'avancèrent dignement vers le roi. De chaque côté de l'allée conduisant au trône, des centaines de Vikings s'étaient entassés pour saluer amicalement les nouveaux arrivants. Les hommes du Nord souriaient de toutes leurs dents et ressemblaient à des enfants émerveillés. Hulot Hulson dit la Grande Gueule devança Banry et s'arrêta devant l'immense trône de bouleau blanc du roi. Comme le voulait la tradition, Hulot y alla d'une présentation solennelle :

— Nous, les fils d'Upsgran, dernier des grands villages de béorites du Sud, sommes venus à vous pour vous aider dans votre quête. Un de vos émissaires est venu en nos terres, implorant notre aide. Nous sommes gens de cœur et de courage. Bien que notre race se mêle peu aux humains, nous avons décidé de combattre sous vos ordres ! Je...

— OUI, MON AMI ! lança fortement le roi. Je te coupe la parole pour te certifier que toi et tes frères êtes les bienvenus chez moi.

— Nous vous remercions de tout cœur, continua Hulot, tout content d'avoir fait si bon effet au roi. Je dois vous avouer, grand souverain, que j'ai moi-même failli perdre la vie en sauvant deux de mes amis des griffes des merriens et que, sans mon courage, jamais nous ne serions arrivés ici.

Tous les béorites se raclèrent la gorge ou toussotèrent un peu. Hulot continua :

— Enfin... bon... oublions mes exploits et venons-en directement aux faits ! Nous vous apportons ici notre contribution à l'effort de guerre !

Chemil s'avança et déposa aux pieds du roi la cassette remplie de saphirs bleus. Harald ordonna :

— Qu'on amène immédiatement ceci à la forge. Je vous remercie beaucoup, mes amis !

— C'est nous qui vous remercions, répliqua Hulot. Votre escorte de bienvenue et vos largesses à notre égard ont été grandement appréciées. Le banquet d'accueil que vous nous avez fait préparer dans votre salle de réception nous a comblés. Nous étions morts de faim et ce repas nous a ragaillardis !

— Tant mieux, mes frères, tant mieux ! s'exclama le roi. Mes cuisiniers m'ont d'ailleurs dit que vous leur avez grandement fait honneur en mangeant comme... comme... comme de véritables guerriers ! Depuis ce matin, plusieurs choses ont changé dans mon royaume et cela coïncide très heureusement avec votre arrivée. Pour une raison que j'aime mieux ne pas expliquer, des dizaines de campements de bonnets-rouges se sont installés sur mes terres. M'aiderez-vous à les chasser ?

— Donnez-nous à chacun une division de vos hommes et, dans une semaine, vos terres seront guéries de cette infection ! affirma Banry en faisant un pas en avant.

— Banry parle d'une semaine parce qu'il travaille lentement, dit Helmic en riant. En trois jours, je les aurai tous décapités !

— Votre fougue fera du bien à mes hommes ! lança avec satisfaction Harald aux Dents bleues.

Ils se sont bien ankylosés depuis quelque temps. Nous parlerons de cette stratégie avec mon conseiller militaire, mais, avant, pourrais-je m'entretenir seul à seul avec le jeune elfe ?

Tous les béorites, surpris de cette demande, se regardèrent avec incompréhension.

— Il n'y a pas d'elfe parmi nous, grand roi, répondit Hulot. On vous aura mal informé !

— Mais si…, marmonna le roi, il y a certainement un elfe dans votre groupe. C'est lui ! Le garçon, là… je le reconnais. Je l'ai déjà vu…

Tous les regards se tournèrent vers Amos. Le jeune porteur de masques s'avança vers le roi et le salua respectueusement.

— Je suis désolé d'avoir à vous dire que je ne suis pas un elfe, mais un humain, déclara Amos.

— Mais oui, tu en es un… Je… Enfin, pourrais-je vous parler seul à seul, maître elfe ? demanda le roi, déstabilisé.

— Avec plaisir !

— Chers hommes-ours, reprit Harald. Mes Vikings vous conduiront à vos quartiers. Reposez-vous, vous êtes ici chez vous. Nous reparlerons de nos futures actions contre les gobelins dans quelques jours. Pour l'instant, je garde ce jeune homme et je vous prie de m'accorder un peu d'intimité…

Les béorites, ravis de cet accueil, sortirent prestement de la salle du trône. Les spectateurs vikings les suivirent et, bientôt, Harald aux Dents bleues se retrouva seul avec Amos.

— Est-ce que tout est à votre convenance? demanda le roi en s'agenouillant devant le garçon.

— Euh... oui... mais pourquoi? balbutia Amos.

— Je sais que vous êtes l'envoyé de Manannan Mac Lir, et vous devez savoir que je me suis conformé aux ordres de notre maître. Il n'y a plus d'alliance avec la bête de feu. J'ai choisi définitivement mon camp, et mes hommes se battront pour vous.

— C'est... c'est très bien! répliqua le porteur de masques sans comprendre les propos du roi.

— La prophétie disait donc vrai! lança le chef des Vikings en retournant vers son trône.

— Quelle prophétie?

— Ce matin, j'ai... j'ai fait un rêve. Enfin, vous le savez, vous étiez là, dans mon songe! En me réveillant, je suis allé consulter un grand prêtre, pour lire le livre du Ragnarök.

— Et quel est ce livre?

— Vous ne le savez pas! s'étonna Harald aux Dents bleues. Ah! je vois... vous me mettez à l'épreuve... C'est bien, c'est bien, je suis prêt. Le Raganrök est un chapitre du grand livre de la création et de la destruction du monde. Il raconte qu'un terrible mal naîtra sur la Terre.

Un immonde serpent, indestructible et crachant du feu, répandra son venin en empoisonnant les hommes. À ce moment, les dieux tomberont dans le chaos, et le monde connaîtra ses années les plus sombres. Des bêtes immondes asserviront l'humanité et la soumettront à l'esclavage. Il n'y aura plus de soleil et plus de lune, plus de jours et plus de nuits, tout deviendra noir et sans lumière. Heureusement, il est aussi écrit qu'un être supérieur, un jeune elfe, ressuscité du monde des morts et choisi par les dieux, arrivera en nos terres pour combattre la bête. Il y aura avec lui un guerrier magnifique qui, d'un seul coup d'épée, anéantira l'animal en plein vol.

— Mais... je ne pense pas être celui que vous attendez ! dit pensivement Amos.

— MAIS SI ! cria Harald. Cessez ce jeu avec moi, cessez de me torturer ! Je sais que vous êtes un elfe... Je vous ai vu dans mon rêve, et puis... si ce n'est pas vous... mon peuple n'a plus aucun espoir.

— Et pourquoi ?

— POURQUOI ! s'exclama le roi. Parce que les gobelins se sont multipliés comme des lapins. Ils sont partout ! Les bonnets-rouges détruisent et pillent mes villages, ils attaquent la côte et font même des razzias sur le continent ! Bientôt, les merriens auront coulé tous mes drakkars et je serai sans défense! Voilà POURQUOI! Et, malgré le respect que je vous dois, ce ne sont pas une dizaine de béorites qui changeront les choses.

— Et si j'étais cet elfe? reprit sérieusement Amos.

— Nous serions en mesure de croire en notre victoire, affirma l'homme. Si les Vikings ne sont pas capables de contenir le mal en leur terre, je ne vois pas qui pourra empêcher la bête de feu de se répandre sur le monde.

Amos se souvint de l'histoire du maître Sartigan. Celle où le sage homme avait gagné le tournoi de tir à l'arc. Le moine avait dit avoir triomphé parce que ses adversaires avaient peur de perdre. Pour gagner, il avait gardé le cœur léger et l'esprit serein.

Fort de cette réflexion, Amos sortit ses oreilles de cristal et les mit discrètement. Il les dévoila ensuite au roi et déclara:

— Allez dire à vos hommes que l'elfe de la légende est là! Que votre armée reprenne confiance en elle. Rien ne lui sert plus maintenant d'avoir peur. La prophétie du Ragnarök est accomplie.

— Je le savais! s'écria le roi en riant. Je n'aurais jamais dû perdre la foi et me plier aux exigences de ces monstres. Un nouveau jour s'est maintenant levé. Venez avec moi, je dois vous montrer quelque chose.

Harald et Amos se rendirent aux forges du roi. Derrière une grande porte surveillée par un garde, le garçon entendit un martèlement violent, presque déchaîné. Harald dit :

— Selon les ordres de Manannan Mac Lir, j'ai fait amener les saphirs à la forge dès que les béorites me les ont donnés.

— Mais... les pierres précieuses ne peuvent pas fondre ! s'étonna le garçon.

— Justement, acquiesça le roi, j'espérais que vous pourriez me dire ce qui se passe dans cette forge.

— Je ne sais pas... Il faudrait demander à votre forgeron.

— Mon forgeron est chez lui et personne n'est entré dans l'atelier depuis que mon homme de confiance y a déposé les pierres. C'est un de mes hommes qui est venu me prévenir de cette étrange activité pendant que les béorites quittaient ma salle du trône. Vous n'avez aucune idée de ce qui se passe ici ?

— Pas le moins du monde ! assura Amos en regardant vibrer les portes de la forge sous l'impact du martèlement.

13

Le nouveau masque et le départ des troupes

Les béorites, selon leur habitude, dormirent pendant deux jours d'affilée. Ce fut encore à Kasso que revint la difficile tâche de les réveiller.

Amos raconta à Béorf sa conversation avec Harald et lui rapporta tous les détails de la prophétie. Il se voyait maintenant condamné à toujours porter ses oreilles d'elfe. Le garçon parla aussi des bruits dans la forge. Le martèlement n'avait pas cessé depuis près de quarante-huit heures. De jour comme de nuit, on entendait le son répétitif du marteau frappant l'enclume. Harald, suivant les consignes de son rêve, avait interdit à quiconque de pénétrer dans l'atelier. Comme Amos terminait son récit, un

Viking de la garde personnelle du roi, vint le chercher.

— Monsieur l'elfe... désolé, mais on vous demande à la forge... C'est apparemment urgent!

Les deux amis ne firent ni une ni deux et se rendirent rapidement sur les lieux. Harald, impatient et nerveux, faisait les cent pas dans le couloir. Il se précipita vers Amos.

— Il y a quelque chose derrière cette porte qui rugit de façon très agressive! Devons-nous entrer ou attendre? Faites quelque chose, s'il vous plaît, car la bête qui est enfermée dans l'atelier n'a pas l'air de très bonne humeur.

Un cri affreux retentit soudainement. Les gardes sursautèrent et firent un pas en arrière. C'était un appel que seul Amos pouvait comprendre grâce à ses oreilles magiques.

— Ça va! Il n'y a aucun danger! fit-il pour rassurer les Vikings présents. C'est moi qu'il veut, la bête me demande. Je vais entrer dans la forge.

— Veux-tu que je vienne avec toi? demanda Béorf.

— Non, mais reste prêt à toute éventualité..., répondit un peu anxieusement Amos. On ne sait jamais ce qui peut arriver!

Le porteur de masques ouvrit la porte de la forge et y pénétra lentement. Une créature se tenait dans l'ombre, à quelques pas de l'enclume. Haut de deux mètres, cet humanoïde avait la tête et les membres inférieurs d'un cheval. Son torse et ses bras étaient ceux d'un homme. Se tenant sur deux pattes, il avait une très longue crinière et une imposante queue de pur-sang. Commença alors dans la forge une étrange conversation composée de sons et de mouvements insolites :

— Vous m'avez appelé ? demanda Amos en hennissant. Je suis là, parlez !

— Je suis content de constater que vous parlez le kelpie, répondit la créature dans la langue des chevaux de mer. Peu d'humains connaissent notre langue.

— Je connais votre langue, mais pas vos coutumes, ajouta Amos en tapant du pied et en s'ébrouant. Comment dois-je vous marquer le respect ?

— S'ébrouer de la sorte, surtout lorsqu'on n'a pas de crinière, est une marque de très grand respect chez moi, affirma le kelpie en piaffant.

— Que puis-je faire pour vous ? lança aimablement Amos en hochant la tête trois fois.

— Je suis ici pour vous donner quelque chose ! répondit la créature en ruant.

— Votre cadeau sera apprécié ! assura poliment le garçon en bougeant ses lèvres et en montrant ses dents.

— Vous avez sauvé un prêtre de Manannan Mac Lir…, hennit l'humanoïde en baissant la tête. Pour vous remercier, il m'a demandé de vous fabriquer ceci!

Le kelpie tendit les bras et donna à Amos un magnifique masque bleu translucide. L'objet, constitué de centaines de saphirs, avait l'apparence d'une tête de poisson. Ses écailles ressemblaient à de fines gouttelettes imbriquées les unes dans les autres. Il y avait quatre trous, deux de chaque côté des branchies, pour y insérer des pierres de pouvoir. Ce masque avait été travaillé avec la finesse et l'habileté des grands artistes. Très léger, mais quand même solide, il arborait sur son pourtour de magnifiques représentations d'anémones et d'étoiles de mer, d'algues frivoles et de coraux.

— C'est une grande œuvre d'art! s'exclama Amos en balançant follement la tête.

— Merci, merci bien! répondit le kelpie en faisant résonner ses sabots sur le plancher de bois. Vous le méritez bien!

— Je dois y enchâsser une pierre de pouvoir avant de l'intégrer…, dit le porteur de masque en soufflant bruyamment à cinq reprises par les narines. Savez-vous où je peux trouver une telle pierre?

— Les kelpies se sont fait voler beaucoup de leurs richesses par les merriens, expliqua le joaillier en expulsant de sa bouche une grande quantité de salive. Dans le trésor du dragon, vous trouverez ce que vous cherchez... Cette pierre vous appartient!

— Je la prendrai et ferai honneur aux pouvoirs du masque, répliqua le garçon en se cabrant brusquement.

— Aidez-moi maintenant à sortir d'ici et à regagner la mer! demanda le kelpie en faisant mine de ruer. Si les Vikings me voient, ils prendront peur et voudront me tuer... Ils ne savent pas encore que nous combattons dans le même camp.

— Tout de suite! fit le jeune porteur de masques en frappant une fois par terre avec son pied.

Amos lança une grande couverture sur la créature. En ouvrant la porte de la forge, il vit Béorf, hilare, le regarder avec curiosité.

— Mais qu'est-ce que c'est que cette langue? demanda le gros garçon. Tu dansais en poussant des hennissements de cheval. Je n'ai pas pu m'empêcher de regarder par l'entrebâillement de la porte. Savais-tu que tu n'arrêtais pas de cracher?

— Tu aurais compris si tu avais mis tes oreilles de cristal! lança Amos en souriant. Demande au roi de se retirer avec ses hommes. Je dois reconduire mon nouvel ami à la mer et personne ne doit le voir.

— Très bien ! Je m'occupe de tout ! Reste là, je reviens te chercher !

Quelques minutes plus tard, Amos guidait le kelpie à travers la demeure du roi jusqu'à une charrette recouverte d'une petite tente. Béorf avait tout préparé. Les deux amis partirent, comme si de rien n'était, vers une plage qui se trouvait non loin de la ville. Là, la créature des mers sortit de sa cachette, salua Amos et Béorf, puis galopa dans l'eau avant de disparaître dans une vague.

— C'est quoi au juste comme créature ? demanda le béorite, bouche bée.

— C'est un kelpie, répondit Amos. Ce sont des êtres très gentils et très polis. Regarde le masque qu'il m'a fabriqué !

— Il est magnifique !

— Il ne me reste plus maintenant qu'à trouver la pierre de pouvoir dans le trésor du dragon ! lança Amos avec un petit rire nerveux.

* * *

Les béorites roulèrent un gros tonneau en bas de leur drakkar. Banry s'assura que personne ne les épiait pendant que Chemil, armé d'un de ses outils de charpentier, ouvrit précautionneusement le baril. Amos et Béorf assistaient à la scène en se demandant ce qui allait sortir du tonneau. À leur grande surprise, il y avait un autre béorite couché dans le baril. Banry leur dit:

— Piotr le Géant vous l'a déjà présenté à la taverne. C'est Geser Michson, dit la Fouine. Il déteste l'eau, mais il n'a pas son pareil dans la forêt.

— Mais comment a-t-il fait pour survivre dans ce baril? demanda Amos.

— L'hibernation, c'est notre secret! lança Kasso qui se préparait à asperger Geser d'eau froide.

— Oui, c'est cela…, continua Banry. Avant le départ, il a mangé pendant trois jours, puis il s'est endormi dans ce tonneau. Chemil a bien scellé le couvercle en prenant soin de lui laisser quelques trous pour respirer. Il a dormi durant tout notre voyage!

— Et pourquoi le réveiller maintenant? fit Béorf en regardant Geser ouvrir difficilement un œil.

— Parce que nous avons besoin de lui, répondit Helmic l'Insatiable. Nous allons l'envoyer faire une reconnaissance du terrain. Ce type est un vrai miracle dans les bois. Il sait disparaître aux yeux de ses ennemis et survivre dans des conditions très difficiles. La Fouine saura nous rapporter exactement les positions des bonnets-rouges, leurs déplacements et le nombre de leurs unités.

— Ce sera plus facile pour nous de monter par la forêt que de suivre la rivière jusqu'au dragon, affirma Alré la Hache. Comme les Vikings sont des navigateurs, les gobelins surveilleront davantage les cours d'eau.

— Et je vais demander à Geser de bien regarder si les bonnets-rouges ont des prisonniers, dit Rutha Bagason en caressant maternellement les cheveux d'Amos. Nous sommes aussi là pour retrouver ta mère…

— Merci beaucoup, fit le garçon, ému. Je pense souvent à elle et je me demande ce qui a bien pu lui arriver. Je n'ai plus de pistes et je ne sais pas ce que ces gobelins ont bien pu faire d'elle.

Geser Michson, dit la Fouine, réussit à s'extirper du tonneau et à se réveiller. Suivant les instructions de ses amis, il se transforma en ours et disparut dans la grande forêt du Nord pendant près d'une semaine. Lorsqu'il revint de son périple, le béorite dessina avec précision une carte montrant la position des bonnets-rouges, leurs routes, mais surtout un camp de prisonniers. Banry se frotta les mains de satisfaction, félicita la Fouine et dit :

— Je connais des gobelins qui vont être surpris de nous voir !

14
La menace de Brising

Brising était une charmante petite fille de huit ans aux cheveux blonds et aux yeux bleus qui vivait dans le petit village de Ramusberget, situé au pied de la grande montagne du Nord. Son père était bûcheron et sa mère, enceinte, s'occupait de la maison. La plupart des hommes vivant dans ce hameau exerçaient la profession de bûcheron. Les Vikings passaient deux fois par an et achetaient tout leur bois. Les arbres qui poussaient sur les terres de Ramusberget étaient d'une qualité supérieure et faisaient des drakkars solides et résistants. Toute l'économie du village reposait sur cette unique activité qui, depuis des centaines d'années, faisait bien vivre ses habitants.

Brising avait un frère plus vieux qu'elle qui

s'amusait souvent à la taquiner, peut-être un peu trop parfois. Quelque temps auparavant, il avait volé sa poupée préférée pour la cacher dans les bois derrière la maison. La petite fille était partie à la recherche de son jouet et s'était perdue dans la forêt. Les gens du village avaient aussitôt organisé une battue, mais l'avatar du baron Samedi l'avait trouvée avant eux. C'était un homme squelettique aux yeux de braise portant un haut-de-forme, un long manteau de cuir noir et une canne. L'automne était arrivé, les loups hurlaient, Brising avait froid et, sans se méfier de ce personnage étrange à la peau bourgogne, elle avait accepté de lui parler. Le baron l'avait prise dans ses bras et lui avait rapidement enfoncé une draconite dans la gorge. L'avatar lui avait ensuite raconté cette histoire :

— Dans les temps anciens, la Terre était peuplée de magnifiques créatures. Ces bêtes, grandes et puissantes, furent pendant des siècles les maîtres du monde. Elles dormaient sur de gigantesques trésors au cœur des montagnes. Un jour, à cause de la convoitise des hommes, ces animaux fantastiques disparurent de la surface de la Terre. Je t'ai choisie pour devenir le premier des grands dragons qui renaîtront bientôt partout sur tous les continents et dans toutes les contrées. J'avais placé mes espoirs dans une autre fillette, mais elle s'est détournée de ma voie. Je voulais un grand dragon noir, j'aurai à la place une magnifique bête dorée aux yeux bleus !

Le baron Samedi, grand dieu de la race des dragons (aussi appelés les Anciens) avait réussi à forger en secret trois draconites. Ces pierres précieuses devaient être implantées dans le corps de trois fillettes pour les transformer en dragons. Ces monstres pouvant se reproduire par eux-mêmes allaient construire des nids d'or pour y pondre des œufs. En quelques années, les créatures du baron allaient se répandre sur toute la Terre et devenir la race dominante du monde. Tel était le plan d'origine du baron Samedi, mais les choses avaient mal commencé pour lui.

Le dieu avait échoué dans sa tentative de transformer la jeune princesse Lolya, de la tribu des Dogons, en un terrible dragon noir. C'est Amos Daragon qui lui avait ravi la draconite afin d'en sertir son masque de feu. La deuxième pierre avait été volée par un dieu inférieur mais la troisième, maintenant enchâssée dans le corps de Brising, allait enfin pouvoir servir les desseins du dieu.

Une grande bête dorée aux yeux bleus vit effectivement le jour dans la montagne de Ramusberget. La draconite avait rapidement agi et Brising disparut en abandonnant son corps et son âme à sa nouvelle existence. Le baron Samedi rebaptisa la bête Ragnarök, ce qui veut dire « crépuscule des dieux ». Cette menace signifiait la fin du monde ou plutôt la fin d'un monde. Il n'y aurait plus désormais qu'un seul dieu et qu'une race dominante sur la Terre, la sienne.

Le baron s'allia à Thokk, une stupide déesse de glace au cœur de pierre, pour qu'elle forme une grande armée de bonnets-rouges et de merriens afin d'asservir le monde. Celle-ci, maîtresse des gobelins, accepta une alliance avec le baron Samedi et regroupa ses créatures au pied de la montagne de Ramusberget. Pour constituer un trésor au dragon, elle leur donna pour mission de piller les villes et les villages de la côte, puis ceux du continent.

Pendant ce temps, le dragon se creusa un immense refuge au cœur de la montagne. À grands coups de griffes et de crocs, il avait fait trembler la terre à des lieues à la ronde. On aurait dit que la montagne grognait et ce vrombissement constant alerta les populations des environs. Une fois sa tâche terminée, Ragnarök alla réduire en cendres tous les villages entourant sa nouvelle demeure. Tous ceux qui n'avaient pas eu la sagesse de partir à temps y laissèrent leur vie. Le dragon n'eut aucune pitié pour son ancienne famille. Il assassina sauvagement son père et son frère et tua également sa mère en la croquant d'un coup de dents. La femme mourut dans d'atroces souffrances en sachant que l'enfant qu'elle portait ne verrait jamais le jour. Sous les rires sadiques du baron Samedi, la prophétie allait bientôt s'accomplir et le monde tomberait sous la puissance de ses dragons.

* * *

Les bonnets-rouges entraient dans l'antre du dragon et y déversaient des sacs remplis d'or, d'argent, de pierres précieuses et d'objets de valeur. Le trésor de l'Ancien devenait plus gros de jour en jour. Au centre de l'immense caverne, la bête de feu se reposait. Ragnarök avait ressenti le besoin de se dégourdir les ailes et avait volé, loin dans les neiges éternelles du Nord, pendant une bonne partie de la matinée. Le froid à l'extérieur de sa caverne était vif, même pour un dragon cracheur de feu. Devant la bête affalée par terre, le baron Samedi faisait les cent pas. Il réfléchissait en affichant un air préoccupé. Le dragon grogna lourdement :

— Le monde ne peut rien contre moi, je suis maintenant le maître de cette terre !

— Ne commets pas l'erreur que j'ai faite, avertit le baron.

— Tu parles de ce jeune garçon ? demanda l'immense bête en bougeant sur son trésor. C'est lui qui te préoccupe ?

— Oui, c'est bien lui qui me préoccupe, confirma le dieu. Il est imprévisible. Ce garçon est arrivé à déjouer tous les plans de Seth et à m'enlever Kur, mon dragon noir.

— Il ne pourra rien contre moi, je suis trop puissant ! assura d'une voix caverneuse le dragon en ricanant. Dans quelques semaines, les bonnets-rouges m'auront constitué un assez gros trésor pour que je ponde mes premiers œufs. Mes enfants partiront ensuite dans tout le pays pour y faire d'autres nids. Mes petits-enfants iront encore plus loin en semant, jour après jour, le chaos sur le monde.

— Et moi, ajouta le baron Samedi, je deviendrai le dieu suprême du panthéon. Tout cela grâce à toi, ma belle petite Brising !

— De qui parles-tu ainsi ? demanda l'Ancien, intrigué par ce nom.

— Je veux dire : Ragnarök ! se reprit le dieu. Oublie ce que je viens de dire, mon beau Ragnarök. Cependant, je ne veux pas qu'Amos Daragon arrive jusqu'à toi…

— Baron Samedi ! s'écria la bête de feu d'un ton agressif, tu es mon père et je te dois la vie, mais ne viens pas m'insulter dans mon antre. JE SUIS UN DRAGON ET IL EST UN ENFANT !

Comment pourrait-il être de taille contre moi ?

— Il est malin… incroyablement malin…

— DISPARAIS DE MA MONTAGNE, PÈRE INGRAT ! hurla le dragon. Tu ne crois pas en moi. Tu penses que je suis trop bête pour affronter seul UN ENFANT. Je te méprise ! Voilà un dieu qui crée un dragon, mais qui s'inquiète comme une nourrice… Pour te prouver ma force et ma grandeur, je ferai en sorte que cet insecte se présente devant moi et je l'éliminerai d'un coup de dents.

— NE FAIS PAS CELA, RAGNARÖK ! lança le baron en haussant le ton. TU NE LE RECEVRAS PAS ! Est-ce bien clair ? Je n'ai plus de risques à prendre. La guerre entre les dieux du bien et ceux du mal a épuisé les pouvoirs de mes semblables. Ils sont plus faibles et moins vigilants. Tous pensent maintenant que j'ai disparu dans l'oubli. C'est le temps pour moi de frapper et de conquérir ce monde ! Je ne suis pas du côté du bien ou du côté du mal, je travaille pour moi !

— Tais-toi et pars ! ordonna le dragon. Tu seras le maître des cieux et je serai le maître de la Terre. Tes discours m'ennuient et votre guerre de divinités m'indiffère. Je suis le roi ici et on ne me donne pas d'ordres ! Je veux voir ce garçon et je veux le tuer. Il en ira selon ma volonté !

— Ne rate pas ton coup lorsque tu ouvriras la bouche pour le croquer ! lui conseilla le baron, prêt à quitter les lieux. J'aurai les yeux sur toi et sur tes agissements. La race des Anciens doit renaître…

— ET ELLE RENAÎTRA ! s'époumona la bête en furie.

15

Vers la montagne de Ramusberget

Harald aux Dents bleues, Ourm le Serpent rouge et Wasaly de la Terre verte avaient convenu d'un plan. Les trois rois vikings regrouperaient leurs forces pour attaquer et détruire les merriens et les gobelins. Ourm le Serpent rouge avait une puissante flotte de drakkars et fut chargé d'écumer la grande mer et d'éliminer les merriens. Wasaly de la Terre verte jura de libérer le Sud des terres vikings et de poursuivre les bonnets-rouges sur le grand continent. La montagne et le dragon furent laissés au roi Harald aux Dents bleues et à ses hommes. Celui-ci avait la plus grande et la plus efficace des armées. Ses combattants étaient sauvages et n'avaient peur de rien. De plus, le royaume produisait de solides armures et d'excellentes épées.

Le roi Harald aux Dents bleues divisa ses troupes en six bataillons et donna le commandement de chacun d'eux à un ou plusieurs béorites. Banry se vit confier deux cents hommes, et Helmic l'Insatiable en reçut trois cents. Les frères Azulson, Goy et Kasso, prirent la charge d'un bataillon d'éclaireurs, composé d'une cinquantaine d'archers pouvant se déplacer rapidement. Rutha Bagason dite la Valkyrie, Alré la Hache et Piotr le Géant se partagèrent près de quatre cents guerriers. Chemil Lapson, l'habile charpentier, demeura dans la ville pour diriger les travaux de fortification en prévision d'une attaque. Geser la Fouine retourna dormir dans son baril et Hulot Hulson dit la Grande Gueule demeura introuvable lors de la répartition des tâches. On le chercha longtemps dans la ville pour s'apercevoir que le poltron s'était réfugié dans un drakkar avec la ferme intention de fuir vers Upsgran. On lui confia trente-cinq hommes avec la mission très précise d'aller libérer les prisonniers du camp des bonnets-rouges. Amos et Béorf proposèrent leur aide et il fut décidé qu'ils accompagneraient le nouveau commandant Hulot.

Tous les bataillons reçurent des ordres extrêmement précis. Suivant un itinéraire établi d'après le rapport de Geser la Fouine, chaque formation devait remonter vers la montagne de Ramusberget en forçant le retrait des gobelins vers le nord. Comme la neige était déjà très abondante dans les forêts, les guerriers se déplaceraient en skis. Les Vikings et les béorites connaissaient très bien ce mode de locomotion et pouvaient parcourir avec un minimum d'efforts de longues distances. La neige et la glace constituaient pour eux un avantage non négligeable. Il fut également convenu d'un lieu de rendez-vous où tous les bataillons joindraient leurs forces pour effectuer la dernière attaque, celle de la montagne du dragon.

Seule la garde personnelle d'Harald demeura dans la ville. Ces cinquante guerriers avaient pour mission de protéger la cité et le roi en cas d'attaque. Les béorites se souhaitèrent bonne chance. Très dignement, chacun prit la tête de son bataillon et bientôt la ville se vida. Au moment du départ, Hulot s'était encore volatilisé. C'est Amos qui réussit à trouver sa nouvelle cachette. Il s'était réfugié dans la prison du roi et avait lui-même verrouillé la porte à double tour. Le pauvre béorite était mort de peur à l'idée de partir en campagne.

— Hulot ! s'exclama Amos, que fais-tu là ? Il est temps de partir !

— Je ne pars pas…, affirma le béorite derrière ses barreaux. Comme c'est moi qui commande mes hommes, je déclare que nous allons rester un peu ici… et… et voir ensuite ce que nous allons faire… Nous ferons cela ou le contraire!

— Qu'est-ce qui se passe, Hulot? demanda gentiment Amos. Tu as peur de partir?

— OUI! avoua l'homme-ours en tombant mollement assis sur la couchette de la cellule. J'ai tellement peur que je me suis enfermé moi-même! Je suis né sans courage et sans talent pour la guerre. Tout ce que j'aime dans la vie, ce sont mes histoires. J'ai la langue bien pendue, mais je n'ai aucun talent pour conduire des hommes.

— Et quelle est ton histoire préférée?

— L'histoire de Sigurd! C'est le plus célèbre des héros que je connaisse. C'est lui qui terrassa, il y a des centaines d'années de cela, le grand dragon du Nord nommé Fafnir. Cette bête de feu avait anciennement été un homme, le fils d'un très grand magicien. Il avait tué son père et avait été changé en dragon à cause de sa cupidité. La présence d'un fabuleux trésor attira dans le repaire de la bête de nombreux héros en quête de célébrité et de richesses. Beaucoup d'entre eux moururent sur les terres qui entouraient son antre, mais le jeune Sigurd, armé de l'épée de son père, réussit à vaincre le monstre. Il se cacha dans un trou sur un chemin qu'empruntait chaque jour le dragon et lui planta son épée dans le ventre.

— Une nouvelle légende s'écrit en ce moment, Hulot, et tu en fais partie, déclara Amos en pesant chacun de ses mots.

— Nous mourrons tous si nous affrontons le dragon ! Je ne veux pas mourir, je veux revoir Upsgran.

— Quelqu'un m'a déjà dit qu'il faut remplacer la peur par la connaissance. Ton histoire vient de me donner une idée... Pour combattre un dragon, il faut voir au-delà de sa force. Rien ne sert de l'attaquer avec une armée, il faut le tuer par son point faible.

— Tu sais comment te débarrasser du dragon ? fit timidement Hulot.

— Oui, je l'aurai par la ruse et je ferai en même temps une bonne action pour Augure De VerBouc !

— Alors... j'ai confiance en toi, je viens ! Concentrons-nous sur notre mission et allons libérer les prisonniers... Va avertir les hommes que nous partons bientôt !

— Sors de là, Hulot, et prenons tout de suite la route ! Nous n'avons pas de temps à perdre !

— C'est que... comment dire ?... euh..., balbutia le béorite. C'est que j'ai avalé la clé de la cellule et qu'il faudra attendre que mes intestins me la rendent !

— Nous attendrons..., répondit Amos, très amusé. Nous attendrons !

* * *

Après une demi-journée de ski, le bataillon de Hulot arriva, tel qu'indiqué sur la carte, tout près des installations des bonnets-rouges. Les gobelins avaient investi une petite plaine. De grandes cages en bois, installées au centre du camp, contenaient des dizaines de prisonniers. Ceux-ci attendaient d'être vendus comme esclaves.

De grossiers murs de neige avaient été érigés autour du camp pour protéger les gobelins du vent. Cinq grands feux brûlaient jour et nuit en dégageant une épaisse fumée dans la forêt environnante. Les bonnets-rouges marchaient de long en large, frigorifiés. Ils étaient une centaine à surveiller les lieux.

— As-tu un plan ? demanda Béorf en regardant son ami Amos.

— Fais en sorte que Hulot ne donne aucun ordre pour l'instant. Je vais inspecter les lieux !

Amos se concentra et leva doucement la main. Une petite mésange vint promptement se poser sur son doigt. Le garçon lui dit :

— Prête-moi tes yeux. J'ai le pouvoir du vent et je ne te ferai pas de mal.

La mésange s'envola vers le camp de prisonniers et se posa bien vite sur une des cages. Par les yeux de l'oiseau, Amos vit le désespoir dans le regard des captifs. Les prisonniers étaient majoritairement des femmes et des enfants, mais il y avait aussi plusieurs hommes dans la force de l'âge. Pelotonnés les uns contre les autres, ils grelottaient tous à gros frissons. Les détenus semblaient presque tous très malades ou très faibles. Des couvertures sales et trouées recouvraient les enfants. Ils n'avaient pour manger que du poisson cru et un peu de pain.

L'oiseau se déplaça et vit une silhouette familière. Un homme grand et robuste aidait une mère en pleurs à recouvrir son enfant malade d'une nouvelle couverture. La mésange se posa sur un barreau, tout près de la scène. Amos reconnut immédiatement Junos, seigneur de Berrion. Quelle joie! Peut-être que Frilla, sa mère, était aussi parmi ces prisonniers!

La mésange alla se poser sur l'épaule de Junos. Le chevalier, surpris d'un tel geste de la part d'un oiseau sauvage, lui caressa doucement la tête avec son doigt. L'oiseau s'envola et Amos perdit le contact. Le garçon se retourna et vit que Béorf était déjà de retour.

— Junos est parmi les prisonniers! s'écria-t-il.

— Tu l'as vu ? Et ta mère ?

— Je n'ai pas vu Frilla, mais j'espère bien qu'elle est là, elle aussi. Je vais faire griller ces gobelins pour les punir de…

— Tu te laisses encore emporter, Amos ! lança Béorf pour calmer son ami. Lorsque tes émotions prennent le dessus sur ta raison, tu deviens très dangereux pour tout le monde.

— Tu as raison… mais il faut faire quelque chose !

— Laisse-moi m'occuper de ça…, fit Béorf, sûr de lui. J'ai un plan…

— J'ai confiance en toi, Béorf, répondit Amos en serrant le bras de son ami. Je te laisse le préparer !

* * *

Béorf et Hulot s'étaient transformés en monstres répugnants. Mi-hommes, mi-ours, ils avaient la bouche déformée, un corps à moitié poilu et une tête ressemblant davantage à celle d'un troll qu'à celle d'un humain. Le gros garçon avait bien pris soin de mettre ses oreilles de cristal pour pouvoir parler avec les gobelins. Pour faire croire qu'ils étaient des marchands d'esclaves, les deux béorites traînaient derrière eux une bonne dizaine de prisonniers vikings. Ceux-ci avaient des armes cachées sous leurs vêtements. Amos était parmi eux, tête basse et ligoté comme les autres. Le reste du bataillon attendait dans les bois, prêts à frapper.

Lorsque la petite troupe arriva au campement des bonnets-rouges, un garde arrêta Béorf et lui demanda :

— Toi à qui ? Présenter à toi à moi, sinon à moi tuer à toi !

— À moi être Geurk ! répondit le jeune hommanimal. Esclaves à nous, à père et à moi. À père pas parler, pas langue à lui, coupé à lui par humains !

— À nous pas payer esclaves, à nous prendre dans villages !

— À toi bon prix pour solides hommes…, insista Béorf.

— À toi entrer, à moi voir chef à nous, continua le bonnet-rouge en laissant pénétrer tout le monde dans le camp.

À ce moment, Amos sortit discrètement du groupe et alla près de la cage de Junos. Le chevalier le regarda avec des yeux ronds, comme s'il voyait un revenant.

— Amos ! murmura-t-il. Je n'arrive pas à y croire ! Mais que fais-tu ici ?

— Je répondrai à tes questions plus tard si tu veux bien, Junos, dit le garçon en jetant un coup d'œil derrière lui pour s'assurer qu'on ne l'avait pas repéré. Ma mère est-elle là ?

— Non, malheureusement, fit Junos en baissant la tête. Elle a été vendue par ces monstres dans un marché d'esclaves, il y a déjà deux semaines de cela. Je n'ai pas vu ton père Urban... A-t-il réussi à leur échapper ?

— Mon père a été tué lors de l'attaque de Berrion.

— Je suis désolé..., chuchota le chevalier, la gorge serrée par l'émotion. Vraiment... c'était un homme bien... J'espère que sa dispa...

— Je sais..., l'interrompit Amos. Nous en parlerons plus tard, Junos. Prends ces armes et distribue-les aux prisonniers. Au signal de Béorf, nous attaquons !

— Très bien, fais-les passer, je m'occupe de tout. Fais simplement ouvrir les cages et tu vas voir que plusieurs prisonniers ici en ont gros sur le cœur. Même les femmes voudront égorger quelques-unes de ces créatures immondes et cruelles.

Les Vikings firent passer une à une les armes aux détenus. Les gobelins n'y virent que du feu, trop occupés qu'ils étaient à observer les deux étranges créatures qui menaient le groupe. Pendant ce temps, le chef des gobelins arriva devant Béorf. Il était plus gros que les autres et portait fièrement une plume à son bonnet. Il dit d'un air supérieur :

— À QUOI À TOI VOULOIR À MOI ET À NOUS ?

— À moi amener à vous esclaves à nous, pas chers…, répondit poliment le gros garçon sous son allure de monstre.

— Mais… à toi fou ! s'écria le chef. À moi pas acheter, à moi vendre esclaves ! À moi pas intéressé esclaves à toi !

— À moi désolé, grand chef à toi, s'excusa Béorf dont le plan se déroulait à merveille. Parce que à nous déranger à toi, à moi et père à moi donnons à toi esclaves !

— Grand cadeau ! À cause ça, à moi pas tuer à vous ! Seulement, à moi garder à vous aussi comme esclaves à nous !

Tous les gobelins agglutinés derrière leur chef éclatèrent d'un grand rire machiavélique. Béorf fit alors semblant de rire de bon cœur. Le chef demanda alors :

— À toi pas comprendre à moi ! À moi dire à toi que à toi devenir esclaves à nous… À moi prendre esclaves à toi et faire à toi devenir esclave aussi à nous ! À toi pas rire, à toi pleurer !

— À moi rire…, expliqua Béorf, parce qu'à toi trop stupide ! À toi tomber dans piège à moi, grosse bourrique à toi.

Stupéfait, le gobelin bedonnant ne sut que répondre.

— À L'ATTAQUE ! hurla Béorf.

Les Vikings poussèrent un grand cri et sortirent leurs armes. Béorf se transforma en ours et sauta au visage du chef des bonnets-rouges. Hulot se lança à corps perdu dans la bataille. Dans le feu de l'action, il avait enfin oublié sa peur. Les portes des cages volèrent rapidement en éclats, libérant les prisonniers armés, assoiffés de vengeance. Junos, trop content de retrouver une épée, laissa libre cours à sa fougue. Peu de bonnets-rouges eurent le temps de répliquer avant que le bataillon entier envahisse le camp. Pourtant en surnombre, les gobelins n'offrirent que peu de résistance et plusieurs d'entre eux se sauvèrent dans les bois. Après quelques minutes de combat, les hommes crièrent victoire.

Une fois que Béorf et Junos se furent longuement étreints et que les deux garçons eurent présenté Hulot et les Vikings à leur vieil ami, il fut convenu que le bataillon raccompagnerait les détenus le plus rapidement possible chez le roi Harald. Plusieurs d'entre eux avaient un urgent besoin de soins, de nourriture, mais surtout de chaleur. On fabriqua des civières de fortune. Puis le groupe, Hulot en tête, sortit du campement. Amos et Béorf annoncèrent alors qu'ils avaient décidé de continuer seuls.

— Venez avec nous, les supplia Junos. C'est dangereux et je ne veux pas vous perdre encore!

— Je n'ai pas le choix, répondit Amos. Il me

faut atteindre la montagne de Ramusberget le plus tôt possible. Dis-moi, Junos, ma mère allait-elle bien la dernière fois que tu l'as vue ?

— Oui, assura le chevalier. Mais elle était très inquiète pour toi et pour ton père. Elle ne cessait de parler de vous, de dire qu'elle espérait qu'il ne vous était rien arrivé de mauvais. Pauvre Frilla, lorsqu'elle va apprendre la mort d'Urban, ça va être un terrible choc.

— Si je finis par la retrouver, soupira Amos.

— Ne perds pas confiance en toi, jeune homme ! Tu m'as bien retrouvé, moi ! Alors, rien n'est impossible. Fais bien attention à toi ! Nous nous reverrons bientôt !

— À bientôt, Junos ! dirent en chœur les garçons.

Amos et Béorf chaussèrent leurs skis et partirent vers le nord. Ils avaient une copie de la carte réalisée par Geser la Fouine. Béorf estima que, d'ici cinq jours, ils seraient arrivés à la montagne.

16

La poupée de Brising

Amos avait déjà fait du ski, mais jamais de façon aussi intensive. Le soir, il avait terriblement mal aux jambes et aux bras et se réveillait courbaturé tous les matins. Béorf, pour sa part, prenait un bain de neige après le repas du soir. Il avait appris des béorites comment venir à bout des douleurs musculaires. Par chance, le soleil les accompagna durant tout le trajet. Pas de tempêtes de neige et pas de nuits trop glaciales, bref, des conditions de voyage idéales, du moins dans les circonstances.

— Nous arriverons demain à la montagne! À quoi penses-tu? demanda Béorf alors qu'il préparait un feu de camp pour la nuit.

— Je pense que cette journée de ski m'a

épuisé ! lança Amos en finissant de monter la tente.

— Non… Tu me mens… Je vois bien qu'il y a autre chose. C'est ta mère ? Tu penses à elle ?

— Oui. J'aurais aimé qu'elle soit là, avec Junos. Il y a aussi mes pouvoirs qui me tracassent. Quand j'ai intégré le masque de l'air, tout s'est bien passé, la magie du vent est douce et non violente, mais depuis que je porte le masque du feu, il me consume ! Je n'arrête pas de voir un petit bonhomme de lave qui danse devant mes yeux et qui me demande de devenir son dieu… Je ne comprends rien à tout cela ! C'est comme si tout son peuple était prisonnier en moi… Je… Enfin, c'est difficile à expliquer…

— Je pense que c'est un problème d'équilibre, théorisa Béorf en cherchant quelque chose à manger. Tu possèdes la magie des éléments, non ? En toi, il y a deux masques, celui de l'air et celui du feu ! Ce sont des forces qui se… comment dire ?… L'air souffle sur le feu et alimente la braise… Voilà pourquoi tu perds le contrôle. Les deux éléments agissent ensemble et s'activent l'un et l'autre. Tout deviendra normal lorsque tu auras intégré le masque de l'eau.

— Tu penses que c'est simplement cela ? demanda Amos, presque convaincu de la pertinence de cette brillante théorie.

— J'en suis certain…, confirma le gros garçon en croquant dans un bout de pain gelé.

Les yeux d'Amos tombèrent alors sur un objet insolite dans la forêt. Une poupée en chiffon pendait au bout d'une branche. Le jeune porteur de masques s'approcha du jouet et, après s'être assuré que ce n'était pas un piège, il la prit et l'amena près du feu. Béorf se grattait la tête en se demandant ce qu'une poupée pouvait bien faire en plein bois. Amos l'examina et découvrit le nom de Brising, brodé en lettres rouges dans sa nuque.

— Brising? s'interrogea Amos. Tu sais ce que cela veut dire, toi?

— De toute évidence, répondit Béorf, il s'agit d'un nom de petite fille. Cette poupée devait lui appartenir.

— Oui, mais je pense que ce nom vient d'une légende que j'ai lue dans *Al-Qatrum, les territoires de l'ombre…* Attends que je me rappelle. Il s'agit…

— Il s'agit d'une histoire vraie, dit un chœur de voix mélodieuses. Il s'agit de la légende des Brising.

Une dizaine de femmes, d'une extraordinaire beauté, sortirent lentement de la forêt. Elles avaient de longs cheveux blonds, très épais, qui leur tombaient jusqu'au milieu du dos. Ces apparitions avaient la peau blanche comme la neige, des lèvres rouge feu et elles semblaient voler au-dessus du sol. Légèrement vêtues d'une robe longue, presque transparente et ornée de discrets motifs dorés, les Brising portaient un ruban d'or en guise de couronne et un magnifique collier de pierres précieuses multicolores. Ces êtres parlaient toutes d'une seule et même voix:

— Nous sommes les habitantes de cette forêt. Nous étions anciennement les uniques maîtresses de ces lieux. Nous sommes les gardiennes du collier de Brisingamen. Nous sommes des êtres de paix. Les hommes sont arrivés. Ils ont rasé des forêts entières pour construire leurs bateaux et leurs maisons. Nous n'avons rien dit. Nous n'avons rien fait. Nous sommes là depuis que les dieux sont dieux et que le monde est monde. Seulement un jour, l'une de nous, une enfant, s'est perdue dans la forêt. Des humains l'ont recueillie et elle est devenue humaine. Comme elle ne parlait pas et ne savait dire que le mot Brising, c'est ainsi qu'ils l'ont appelée. Le temps a passé et la petite a grandi. Nos yeux étaient sans cesse rivés sur elle. Nous attendions le moment de la reprendre. Nous attendions les circonstances favorables pour la récupérer.

— Et ces circonstances ne se sont jamais présentées..., continua Amos.

— Nous étions sur le point de la saisir, mais nous l'avons perdue. Son grand frère, sous l'emprise d'un de nos charmes, vola sa poupée. C'est ce jouet que vous avez entre les mains. Brising se précipita dans la forêt pour chercher sa poupée. C'est l'événement que nous attendions depuis des années. Enfin, nous allions pouvoir la récupérer et la reconduire dans son véritable monde. Malheureusement pour nous, un dieu aux intentions belliqueuses scrutait la Terre pour choisir une enfant ayant de grands pouvoirs. La magie du baron Samedi transforma notre Brising en monstre. Le dieu lui inséra une draconite dans la bouche et notre sœur se métamorphosa en dragon.

— C'est exactement ce qui est arrivé à Lolya ! s'écria Béorf. Tu l'as sauvée en lui retirant la draconite de la gorge, Amos ! Tu te rappelles ?

— Oui, bien sûr… D'après ce que je comprends, ce n'est pas n'importe quelle fillette qui est sensible à la draconite. Il faut qu'elle possède des prédispositions pour la magie. Lolya était déjà magicienne et Brising est elle-même, de par sa naissance, une créature magique.

— Cette fois-ci, continuèrent les Brising, il ne sera pas possible de la sauver. Elle est perdue. Vous devez absolument éliminer ce dragon. Bientôt, la bête sera prête à pondre et ses enfants détruiront le monde.

— Nous ferons du mieux que nous pourrons ! assura Amos.

— Si vous réussissez, poursuivirent les Brising, nous vous parlerons du collier de Brisingamen et de la malédiction des béorites. Ces choses sont liées entre elles. Suivez-nous, les Brising vous conduiront au dragon.

Les deux garçons se regardèrent avec effroi. Eux qui avaient imaginé rencontrer le dragon accompagnés d'une armée de Vikings, se sentaient maintenant bien seuls… Amos prit une grande respiration et dit :

— Peut-être devrions-nous attendre l'armée de Harald aux Dents bleues ?

— Vous avez le choix, reprirent en chœur les Brising. Si vous n'agissez pas maintenant, l'armée des Vikings sera anéantie par la fougue du dragon. Vous devez d'abord vous débarrasser de la bête, puis des gobelins. Le contraire n'est pas envisageable.

— Si tu es prêt, Amos, moi, je te suis ! lança le brave Béorf en se frappant fièrement la poitrine.

— Eh bien ! fit le jeune porteur de masques en sortant de son sac deux grands draps de couleur orange, ne perdons pas de temps !

— C'est vrai ! s'exclama Béorf. Sartigan a dit que les dragons ne voient pas cette couleur !

— Je les ai fait tisser avant notre départ par les femmes d'Upsgran. Avec cela sur le dos, nous pourrons approcher plus facilement de la bête. En réalité, ce sont deux grandes capes avec un capuchon.

— Cela me rappelle un peu le vêtement de Médousa, soupira tristement Béorf. Tu sais… ce n'était pas une méchante gorgone ?

— Oui, je sais…, répondit Amos en revêtant la cape. Nous aurions bien besoin d'elle aujourd'hui pour transformer ce dragon en statue de pierre ! Allons-y, Béorf, nous avons du pain sur la planche !

— Tant qu'il y aura du pain, dit Béorf en riant, je te suivrai partout !

17

Le dragon

Les Brising amenèrent les garçons à l'entrée d'un long tunnel menant directement au cœur de la montagne.

— Marchez dans ce couloir, dirent-elles d'une seule et même voix. Marchez jusqu'au bout et vous arriverez à un escalier. La bête se repose en bas de ces marches.

— Merci pour votre aide, répondit Amos.

— J'espère que tu as un plan…, lança un peu nerveusement Béorf. Quand nous entrerons dans ce passage, il sera difficile de reculer.

— Je sais. J'ai quelque chose derrière la tête !

— OUF !… fit le gros garçon. Je me disais aussi…

Les deux compagnons entrèrent dans le tunnel. Le long couloir avait probablement été creusé par une ancienne rivière souterraine. Béorf sortit une lampe à huile de son sac et Amos l'alluma en claquant des doigts. Posséder des pouvoirs sur le feu avait certains avantages, dont celui d'allumer n'importe quoi en un clin d'œil.

Les parois rocheuses étaient parfaitement polies et le sol, jonché de petites pierres rondes. Les garçons marchaient en prenant bien soin de ne pas attirer l'attention. Après une bonne heure de promenade souterraine, ils débouchèrent en plein milieu d'un escalier grossièrement taillé. Deux gobelins descendaient les marches en discutant. Ils portaient un grand sac rempli de pièces d'or, de bijoux, d'objets d'art et de pierres précieuses. Amos et Béorf se hâtèrent d'éteindre leur lampe et enfilèrent leurs oreilles de cristal en se cachant du mieux qu'ils pouvaient.

— Gros trésor à lui, jamais rien à moi ! se plaignit le plus petit des deux.

— À lui gros, donc gros trésor à lui…, répliqua l'autre.

— Fatigué à moi de servir à lui.

— Arrêter à toi ! À moi sentir viande enfant...

— Viande enfant ! s'écria le geignard.

— Ta gueule à toi…, vociféra son compagnon. À toi empêcher à moi respirer bonne odeur enfant… hummmmm ! À toi suivre à moi, hummmmm, sentir bon enfant !

Les gobelins s'approchèrent des deux

garçons. Amos, maintenant certain qu'il devrait combattre, se concentra sur sa magie. Béorf, acculé au pied du mur, transforma ses mains en pattes d'ours. Le jeune porteur de masques vit, encore une fois, par terre devant lui, un petit bonhomme de lave qui dansait.

« Ah non ! Pas encore ça ! Pas encore cette vision ! » se dit-il.

— Libère-nous ! criait le petit bonhomme, libère-nous et nous te servirons bien ! Sois notre maître et ordonne…

« Ce n'est pas le moment ! » pensa Amos en essayant de garder le contrôle de ses émotions.

— Allez ! Allez… sois gentil ! insista la petite créature de feu. Nous sommes un bon peuple… un bon peuple !

— Très bien, dit Amos, fatigué de ces éternelles supplications. Très bien, petit bonhomme, je te libère !

Le petit être de lave leva les bras en l'air en signe de victoire, remercia plusieurs fois le garçon et se mit à courir vers le gobelin.

— Tu vas voir, maître…, lança-t-il en se retournant vers Amos, nous sommes un bon peuple !

La petite créature se jeta sur les bottes du bonnet-rouge. Le gobelin s'enflamma aussitôt en poussant des cris de douleur. De ce feu sortirent cinq autres petits bonshommes. Ceux-ci attaquèrent le deuxième gobelin qui dégringola les marches en hurlant. De cinq, ils étaient maintenant dix, et de dix ils se dédoublèrent encore pour faire vingt. Amos et Béorf dévalèrent eux aussi les escaliers à toute vitesse en laissant derrière eux les bonshommes de lave et les gobelins en feu.

— Mais veux-tu bien me dire ce que tu as fait là, Amos ! demanda Béorf dans leur course.

— Je pense que je viens de faire une grosse bêtise ! J'ai libéré quelque chose qui risque de faire beaucoup de dégâts !

Les deux amis débouchèrent en bas de l'escalier directement en face du dragon. Devant la taille de la créature, ils se figèrent net, le souffle coupé par l'émotion. La bête était couchée sur un incroyable amoncellement de richesses. C'était un trésor gigantesque ! Tout ce que les bonnets-rouges avaient volé au cours de leurs attaques était rassemblé dans cette grotte. Le sol était recouvert de pièces d'or, d'argent, de cuivre et de bronze. On pouvait voir des bagues, des colliers et des bracelets étincelants, des objets d'art, des sculptures anciennes, des assiettes de collection, des porcelaines délicates, des tapis de soie et des tableaux de grands maîtres. Il y avait aussi des centaines d'épées, de boucliers et d'armures d'une valeur inestimable. En plus des pierres précieuses de toutes les tailles et de toutes les sortes, une montagne de perles et de coraux s'offrait à l'émerveillement des garçons. Tout cela sans compter les symboles religieux des temples pillés et les objets de culte finement taillés par des orfèvres. Il y avait dans ce trésor tout ce que le nord du continent avait fait de beau, de noble et de précieux. Les gobelins avaient tout volé sans ménagement et sans vergogne.

L'immense dragon de couleur dorée avait une peau rugueuse couverte d'écailles et quatre pattes munies de serres ressemblant à celles de l'aigle. Une longue queue serpentine, une gueule reptilienne couronnée d'une paire de cornes, des ailes évoquant celles de la chauve-souris et des grandes dents effilées complétaient le portrait de la terrible créature. Plusieurs cadavres de gobelins gisaient un peu partout dans la grotte en se décomposant lentement. Une odeur de soufre et de pourriture empestait les lieux.

Ragnarök ouvrit un œil et vit, juste devant lui, le jeune Amos Daragon et son compagnon béorite. Le dragon se déplaça lentement et dit d'une voix à faire trembler la terre sur des lieues à la ronde :

— JE T'ATTENDAIS… Regarde devant toi le nouveau roi du monde et prosterne-toi devant sa grandeur. As-tu peur de la mort, jeune inconscient ?

— Pourquoi craindrais-je une chose que je ne connais pas et qui, une fois survenue, ne me concernera plus ?

— Petit insolent ! vociféra l'Ancien. Tous les hommes qui m'ont rencontré se sont prosternés devant moi. Ils tremblaient de peur et leur sueur coulait comme de l'eau.

— Mais, moi aussi, je tremble de peur..., fit Amos en jouant l'excès de bravoure, mon âme tremble si fort que ma sueur n'ose même pas sortir.

— Tu sais ce qui t'attend ?

— Et toi, le sais-tu ? riposta agressivement le porteur de masques. Je suis ici pour faire un marché avec toi !

— Tu te crois en position de négocier quelque chose ? lança l'arrogante créature. Tu ne peux rien contre moi et tes pouvoirs sont limités !

— Eh bien, dans ce cas..., dit nonchalamment le garçon, mon ami et moi allons partir ! Tu n'auras qu'à m'appeler si tu veux me revoir ! Je ne te dis pas mon nom, car je sais que tu le connais ! C'est bête que je parte ainsi, car j'avais beaucoup d'or pour toi !

Amos s'enroula d'un coup dans sa cape orange. Aux yeux du dragon, il venait de disparaître. Une seconde après, Béorf s'évaporait à son tour. L'Ancien, complètement ahuri par la disparition des garçons, demeura bouche bée.

La bête regarda partout autour d'elle sans rien voir. Elle avait beau chercher, Amos avait bel et bien disparu ! Pourtant, le jeune porteur de masques et son ami étaient juste devant ses yeux.

— Qu'allons-nous faire pour nous débarrasser de cette bête ? chuchota Béorf, bien dissimulé sous sa cape.

— Je pense que je contrôle bien la situation, murmura Amos. Je dois lui laisser croire que mes pouvoirs sont très grands. Je veux lui tenir tête pour le forcer à accepter un présent... Je veux avoir sa confiance et son respect !

— OÙ ES-TU ? hurla le dragon. Où te caches-tu ?

— Tu m'as appelé ? demanda tranquillement Amos en se dévêtant d'un coup de sa cape.

— Mais comment peux-tu apparaître dans mon repaire, selon ta volonté, et ce, sans que je ne puisse rien y faire ? lança anxieusement la bête de feu.

— Disons simplement qu'il y a des choses que tu n'es pas en mesure de comprendre ! rétorqua Amos en espérant que son plan fonctionne.

— Tu me nargues ? fulmina le dragon.

— Calme-toi et ne te fâche pas ! fit posément le garçon. Je peux faire apparaître dans ton repaire tout ce que je veux... et s'il me prend la fantaisie de faire jaillir, disons, un ours du néant, eh bien… je le fais !

Béorf eut la présence d'esprit de se transformer en ours et de retirer sa cape au moment précis où Amos désirait le voir apparaître. Le dragon eut un mouvement de recul. Repensant aux avertissements du baron Samedi, il commençait à craindre sérieusement le garçon. L'Ancien, si gros et si puissant, ne se doutait pas de la supercherie qui se jouait juste sous son nez. La bête de feu se fiait aux apparences et la peur gagnait du terrain sur sa confiance.

— Disparais, ours ! s'écria Amos.

Béorf se volatilisa aussi sec.

— Comprends-tu ce que cela veut dire, dragon ? demanda le garçon.

— Je commence à comprendre…, dit lentement la bête de feu en reculant encore d'un pas.

— Cela veut dire que, si l'envie m'en prend, je peux te faire disparaître ! lança Amos en avançant vers son adversaire. Par ma seule volonté, je te renvoie au néant ! Heureusement pour toi, je ne suis pas méchant et j'aime bien la race des Anciens. Pour cela, je t'épargne la vie et te fais un cadeau. Je t'ai dit, avant de disparaître tout à l'heure, que j'avais beaucoup d'or à te donner, eh bien, c'est vrai !

— Tu feras apparaître de l'or ici ?

— Mais oui ! répondit Amos le plus naturellement du monde. En doutes-tu ?

— Non... non, je... je ne doute pas..., balbutia l'Ancien, dépassé par les événements.

Amos sortit alors une pièce de sa poche. Il s'agissait de la pièce d'or du duc De VerBouc. Le duc, maudit par le diable, leur avait donné une lettre où il était clairement écrit : « Soyez sans crainte, cette pièce n'est pas maudite. Elle saura vous guider vers moi si, un jour, vous désirez me revoir. »

Le jeune porteur de masques joua alors le tout pour le tout. Il lança la pièce en l'air et dit à haute voix :

— Guide-moi jusqu'au trésor des De VerBouc !

La pièce tomba par terre et se mit à rouler en direction d'une des parois de la caverne. Lorsqu'elle toucha le mur de pierre, apparut une grande porte qui s'ouvrit aussitôt. La moitié de la grotte s'effaça alors pour laisser place à un magnifique paysage. Le dragon, médusé par ce miracle, vit une forteresse se former sous ses yeux, de l'autre côté de la paroi rocheuse. C'était un petit château de pierre d'où s'élevait une haute tour en mauvais état. Un large fossé, celui où Béorf était tombé, entourait la résidence à laquelle on accédait par une passerelle de bois à l'allure fragile.

— Ta magie est puissante, jeune garçon…, s'étonna la bête de feu. On m'avait averti, mais je ne l'avais pas cru !

— Tu n'as encore rien vu ! assura Amos d'un air narquois, trop content de l'effet que la pièce avait produit. Dans le fossé, juste là, sous la passerelle de bois, il y a un somptueux trésor. Il est à toi ! Prends-le, jusqu'à la dernière pièce.

Béorf, redevenu humain et caché par sa cape, eut un sourire de contentement. Amos venait de condamner le dragon à mort et de libérer, par le fait même, le duc De VerBouc de ses obligations de gardien de trésor et de sa damnation familiale. Augure De VerBouc avait bien dit que celui qui s'emparait d'une seule petite pièce de ce trésor se voyait rapidement rongé par la peste. Les entrailles du voleur se desséchaient et son sang devenait acide. Des plaques noires et de grosses pustules lui couvraient peu à peu le corps. Crises de délire, vomissements et déchirement des muscles faisaient ensuite mourir le condamné dans d'horribles souffrances. Le duc De VerBouc avait aussi dit : « S'il advenait que quelqu'un vole le trésor au complet, le diable n'aurait plus besoin de gardien et je retrouverais ma liberté. »

— J'accepte ce cadeau avec plaisir, dit respectueusement la bête. En contrepartie, je t'en offre un, moi aussi. Prends cela et occupe-toi bien de lui. Il est le premier d'une nouvelle génération d'Anciens.

Avec sa queue, le dragon fit rouler un œuf. Amos ne s'attendait pas à cela et tenta du mieux qu'il put de cacher sa surprise. Il pensa immédiatement à détruire l'œuf dès qu'il le pourrait, mais il se ravisa en le prenant dans ses bras. Sa mission de porteur de masques n'était pas de détruire systématiquement le mal au profit du bien. Sa tâche était de rétablir l'équilibre du monde. Il tenait maintenant entre ses mains une chance exceptionnelle de réintégrer sur la Terre une créature disparue. Dans ce gros œuf, il y avait une nouvelle bête en gestation qui ne serait, à sa naissance, ni bonne ni mauvaise. Ce petit dragon qui sommeillait encore dans sa coquille n'avait pas été créé par une divinité dans le but de prendre le contrôle du monde. Il allait naître et deviendrait peut-être l'ami des humains.

— Je te remercie, dit Amos. J'en prendrai bien soin.

— M'empêcheras-tu de devenir maître de cette Terre ? demanda le dragon en regardant le garçon droit dans les yeux.

— De toute ta vie, tu ne seras maître que d'une seule chose.

— Quoi donc ?

— Tu seras maître de ta destinée et c'est

tout, répliqua le jeune porteur de masques. Ta cupidité te perdra!

Pendant ce temps, profitant de l'inattention du dragon et bien camouflé sous sa cape, Béorf se rendit jusqu'au trésor. Il lui fallait trouver la pierre de puissance dont Amos avait besoin pour son masque. Celui-ci lui avait rapporté les paroles du kelpie et c'était maintenant ou jamais qu'il se devait de mettre la main sur cette pierre. Le gros garçon n'avait aucune idée de son apparence, de sa forme ni de sa couleur. Dans cette montagne de pierres précieuses, comment la reconnaître?

— Pars maintenant! grogna le dragon. Tu me tapes sur les nerfs avec tes petites leçons de morale!

— J'ai encore quelque chose à te demander? lança Amos en regardant Béorf qui fouillait désespérément le trésor.

— Que me veux-tu, encore? soupira la créature.

— Je veux savoir ce que tu penses de ce masque? fit Amos en présentant l'objet au dragon.

— Il est très beau… Maintenant, laisse-moi prendre ton trésor et pars! insista l'Ancien. J'ai autre chose à faire…

Au moment où Amos sortit le masque de son sac, Béorf vit une lumière intense se former dans une grosse perle, non loin de lui. La magie du masque faisait scintiller la magie de la perle. Discrètement, le jeune béorite s'approcha de la boule nacrée et la glissa dans sa poche. Amos vit son ami lui faire un signe. Il s'enveloppa alors dans sa cape orange et disparut aux yeux du dragon. Croyant le garçon parti, le dragon marmonna :

— Tu verras bien, jeune prétentieux, lorsque mes enfants déferleront sur la Terre, qui sera le véritable maître du monde !

L'Ancien traversa la grande porte et se mit à transférer le trésor du fossé des De VerBouc à sa grotte. Les deux garçons, toujours sous leur cape, ramassèrent leurs affaires et gravirent rapidement les escaliers. Béorf portait l'œuf dans ses bras. Avant d'emprunter le passage souterrain, Amos arrêta brutalement son ami et dit :

— J'ai libéré le peuple du feu tout à l'heure… Enfin, disons que j'ai libéré de moi une force qui aura vite fait de s'étendre et de tout brûler ! Je dois l'arrêter…

— Comment ? demanda Béorf, impatient de quitter le repaire du dragon.

— C'est maintenant que nous allons voir si ta théorie sur mes pouvoirs est juste, répliqua Amos. Tu m'as dit qu'en moi la magie de l'air souffle sur la magie du feu en alimentant sa puissance. Alors, passe-moi la pierre de pouvoir du masque de l'eau et je vais calmer tout cela!

Béorf donna la perle à Amos. Celui-ci l'enchâssa dans un des trous et déposa, lentement et très cérémonieusement, le masque sur son visage. L'objet se moula aussitôt à sa figure et bloqua sa respiration. Rien ne se produisit pendant une vingtaine de secondes. Commençant à manquer d'air, Amos essaya de le soulever pour respirer. Impossible! Le masque était collé à son visage. Béorf se jeta sur son ami pour lui donner un coup de main. Même à deux, il était impossible de retirer le masque. Le garçon commençait à s'étouffer. Il avait beau pousser, tirer et essayer de glisser ses doigts entre le bord du masque et sa peau, rien à faire. Amos se noyait sous les yeux de Béorf sans que celui-ci puisse l'aider.

Maintenant presque au bout de ses forces, le porteur de masques s'écroula sur le sol, au bord de l'asphyxie. Il allait mourir, il en était sûr. Son corps était lourd et ses pensées lointaines. Instinctivement, il essaya une dernière fois de respirer un bon coup. Le masque devint alors liquide et pénétra dans son corps par sa bouche et ses narines. L'intégration était maintenant terminée et Amos put enfin prendre une bonne bouffée d'air. Béorf, les jambes coupées par l'angoisse, tomba assis par terre et déclara:

— Je déteste vraiment la magie !

Des dizaines de petits serpents composés de l'eau qui ruisselait dans le passage souterrain se formèrent. Ils entourèrent Amos. L'un d'eux s'avança et dit :

— La magie de l'eau est maintenant vôtre... Devons-nous rétablir l'équilibre avec le feu ?

— Oui, je vous le demande, répondit Amos, surpris et content à la fois.

— Nous mangerons le feu et disparaîtrons en vapeur. Que vos désirs soient des ordres ! conclut le serpent en conduisant son groupe vers l'escalier.

— C'est quoi, ça ? s'écria Béorf. Des serpents d'eau... C'est toi qui...

— Je ne sais pas. Il y a encore bien des choses qui m'échappent et j'ai moi-même du mal à comprendre ma magie. Enfin... nous pouvons partir, les serpents m'ont promis de réparer ma faute.

— Moi non plus, je ne comprends rien à ce qui t'arrive parfois, mais une chose est sûre, c'est qu'on ne s'ennuie pas avec toi, Amos !

Les deux amis éclatèrent de rire et continuèrent leur marche vers la sortie.

* * *

Dans ce pays du bout du monde, longtemps après le départ d'Amos et de Béorf, longtemps après que furent oubliés le dragon et les gobelins, lorsque les hommes revinrent y bâtir leurs maisons et élever leurs enfants, on découvrit des lacs d'eau chaude et plusieurs éruptions d'eau bouillante jaillissant du sol. Dans ces contrées de froid, de neige et de misère, ces sources furent une bénédiction pour les colons.

Les légendes racontaient que de puissants démons, exclus du royaume des ténèbres, s'étaient réfugiés sous la terre de Ramusberget. Leur colère était si intense qu'elle faisait bouillir les sources souterraines en provoquant des geysers. Personne ne sut jamais que ce fut en réalité Amos Daragon qui, sans le vouloir, provoqua un éternel combat. Il avait libéré le feu et demandé à l'eau de le combattre. Dans un cycle sans fin, les deux éléments se livraient une bataille continuelle et sans merci. Encore aujourd'hui, ce combat n'est pas terminé.

18

La bataille de Ramusberget

Les troupes vikings s'étaient rassemblées au pied de la grande montagne. Les béorites étaient tous là, ainsi que Junos, chevalier et seigneur de Berrion. Beaucoup d'hommes avaient été tués pour libérer les terres, et les troupes d'Harald aux Dents bleues se résumaient maintenant à environ quatre cents hommes. Devant eux s'élevait le dernier retranchement des gobelins. Protégés par des murs de pierres grossièrement posées les unes sur les autres, les bonnets-rouges attendaient patiemment une attaque. Ils devaient être approximativement trois mille. Avec leurs arbalètes, ils auraient tôt fait de tuer un grand nombre de Vikings si ceux-ci s'avisaient de les assaillir. Banry se tourna vers Helmic et dit :

— Tu sais ce qu'il nous reste à faire, mon ami ?

— Je crois que nous n'avons pas le choix, répondit l'Insatiable en souriant. Ce sera peut-être la dernière bataille des béorites, mais elle sera... EXPLOSIVE !

— Regroupe les autres et demande à Junos de nous rejoindre, demanda Banry, résigné.

Piotr le Géant, Alré la Hache et Rutha Bagason arrivèrent en premier. Suivirent les frères Goy et Kasso Azulson, puis Chemil et Hulot. Même Geser la Fouine avait fait le voyage pour se battre aux côtés de ses amis. Junos se plaça un peu à l'écart et tendit l'oreille.

— Mes amis, déclara Banry, nous sommes tous des frères et chacun d'entre nous est libre. Jamais, dans notre village comme dans nos expéditions, un chef n'a forcé quelqu'un à faire une chose à laquelle il ne croyait pas. Nos ancêtres ont traversé des continents, des océans sans fin sur des radeaux tressés de rêves. Et nous voilà aujourd'hui bien vivants, notre vie dans le reflet d'un glaive. Allons-nous risquer l'existence de valeureux Vikings alors que dans nos veines coule le grand pouvoir de notre race ?

— Que ce soit la mort ou la victoire qui nous attend au bout de ce combat, affirma

Helmic, je dis que nous devons utiliser la rage guerrière ! Je suis partant, pour le meilleur et pour le pire, mais surtout... pour le plaisir !

— Moi, dit Piotr le Géant, j'aime mieux régler les problèmes en famille et ne pas impliquer les humains. Je suis un béorite... et cela veut dire que lorsque je commence une guerre, je la termine !

— Goy et moi sommes aussi d'accord, intervint à son tour Kasso. Je n'ai jamais connu la rage guerrière, mais je suis prêt à vivre l'expérience !

— Tout ce que j'espère, lança Alré la Hache, c'est que je ne blesserai aucun de vous. Je perds vraiment tout contrôle lorsque je suis dans cet état.

— Je saurai bien te maîtriser, assura Rutha la Valkyrie en riant. Vous êtes ma seule famille. Je n'ai pas d'enfants et pas de parents. Si vous mourez, je veux partir avec vous !

— Ce sera un honneur de me battre à vos côtés, fit Chemil. Je suis plus doué pour le bois que pour l'épée, mais ceux que je tuerai seront une menace de moins pour vous.

— La rage guerrière ! s'écria Geser. Eh bien ! pourquoi pas ?

— Moi, affirma Hulot la Grande Gueule, j'espère survivre pour raconter cette histoire ! Allons-y, qu'on en finisse !

— Tout le monde est d'accord ? demanda Banry.

— OUI ! répondirent tous les béorites à l'unisson.

Banry appela Junos d'un signe de la main, et le chevalier s'approcha :

— Je vais t'expliquer ce que nous allons faire, Junos. La race des béorites a plusieurs pouvoirs, dont celui de centupler leur force lors d'un combat. Cet état s'appelle la rage ou la folie guerrière. Nous perdons complètement l'esprit et devenons des monstres inhumains capables d'égorger des femmes et des enfants ! Lorsque la rage guerrière nous prend, il est très difficile de nous ramener à un état normal. Tout s'arrête lorsque nous tombons de fatigue. J'ai déjà vu Helmic continuer à frapper des arbres pendant cinq heures alors que tous ses ennemis gisaient par terre. Il était impossible de l'arrêter et si, par malheur, j'avais essayé de le calmer, il m'aurait tué d'un coup de patte. Nous devenons très dangereux pour nos adversaires comme pour nos amis.

— Et qu'attends-tu de moi ? demanda Junos.

— J'attends de toi que tu gardes les Vikings sous tes ordres tant et aussi longtemps qu'il y aura du remue-ménage dans le camp gobelin. Ne nous accompagne pas et ne nous aide pas !

Nous devons nous battre avec les gobelins et pas avec les Vikings, tu comprends ?

— Oui, mais ils sont à peu près trois mille et vous ne serez même pas dix. Combien de temps penses-tu tenir contre eux ?

— Je pense que trois mille gobelins constituent un hors-d'œuvre pour des béorites enragés ! s'écria Helmic en se tapant sur la bedaine.

— Mais enfin, insista Junos, ils ont des centaines d'arbalètes ! Ils vous perceront avant même que vous ne puissiez les atteindre…

— Nous savons ce que nous faisons, Junos. Je veux maintenant que tu t'éloignes et que les hommes se cachent. En état de rage guerrière, nous ne faisons pas la différence entre les bons et les méchants… si tu vois ce que je veux dire !

— Il y a sûrement un autre moyen ! Vous n'allez pas vous sacrifier ainsi ?

— Il y a peut-être un autre moyen, mais c'est celui que nous avons choisi ! répliqua Banry, un peu agacé.

— Très bien, fit Junos. Je respecte votre décision… Bonne chance !

Pendant que le seigneur de Berrion demandait aux troupes de s'éloigner, le groupe des béorites entonna une chanson de guerre. Les voix, profondes et graves, s'élevèrent en un chœur puissant :

Nous sommes venus pour vaincre
Et nous allons au combat
Libres de nos corps
Libres de notre esprit
Libres de notre âme
Nous ne plierons pas
Nous ne faiblirons pas
Et si le soleil se lève encore demain
Ce sera avec nous, ou sans nous !

Les hommes-ours poussèrent ensuite un retentissant cri de guerre. D'une intensité inimaginable, il résonna longuement à plusieurs lieues à la ronde. Les gobelins cessèrent de bouger et se regardèrent les uns les autres avec perplexité. Après le cri des béorites, un lourd silence s'installa au pied de la montagne. Pendant quelques secondes qui leur parurent des heures, les gobelins restèrent pétrifiés sur place.

Puis on sonna l'alarme, mais il était déjà trop tard ! Les béorites étaient déjà dans le camp et commençaient à attaquer.

Ce n'étaient plus des hommes, mais des ours en furie qui avaient investi le repaire des gobelins. Ils étaient très grands et incroyablement rapides. Marchant tantôt sur deux pattes, tantôt sur quatre, ils pouvaient faire des bonds de six mètres et sauter sans la moindre difficulté sur les petites tours d'observation du campement. Chacun de leurs coups de patte tuait instantanément un gobelin. Leurs grandes griffes déchiraient le métal comme si cela avait été du papier. Tous aussi poilus les uns que les autres, ils avaient les yeux injectés de sang et des filets de salive épaisse leur coulaient de la bouche.

La rage guerrière avait rendu les béorites fous furieux ! Ils se jetaient sur les bonnets-rouges en émettant des sons discordants et hystériques. Mordant, déchirant et attaquant tout ce qui bougeait devant eux, ils étaient sans pitié. Ils étaient si rapides que les carreaux d'arbalète des gobelins n'arrivaient pas à les atteindre. Les réflexes aiguisés comme des lames de rasoir, les hommes-ours évitaient presque tous les coups de leurs ennemis. Dans cet état, les guerriers d'Upsgran semblaient invincibles.

Au loin, les Vikings entendirent des cris de douleur pendant près de trente minutes. Les voix s'élevant du champ de bataille ressemblaient à des hurlements d'humains sous la torture. C'était d'autant plus impressionnant que l'écho amplifiait la moindre exclamation ! Ce concert mortel glaça le sang des hommes d'Harald aux Dents bleues. Puis un autre cri, celui-là grandiose, s'échappa de la montagne. Junos vit se déployer sous ses yeux Ragnarök le dragon. En deux coups d'ailes, la bête survola le camp des gobelins. L'Ancien entrait maintenant dans la bataille.

« Trois mille bonnets-rouges, à la rigueur ! se dit Junos. Mais les béorites ne peuvent rien faire contre un dragon. »

L'Ancien cracha son feu sur le camp en brûlant bon nombre de ses gobelins. Un béorite sauta alors d'une tour d'observation et atterrit, crocs et griffes dehors, sur le dos du dragon. À la surprise générale, la bête de feu vomit alors une substance noire et malodorante. Ce n'était pas normal ! Le monstre semblait malade. Malgré cela, il saisit le béorite qui se trouvait sur son dos et le propulsa contre la paroi rocheuse de la montagne.

Se servant encore une fois de son feu, l'Ancien grilla la moitié du campement avant de perdre l'équilibre et de tomber à la renverse en écrasant un homme-ours. Les bonnets-rouges couraient comme des rats sur un navire en train de couler. En se relevant, la bête de feu attrapa entre ses dents un béorite qui la menaçait, puis s'envola d'un battement d'ailes en le laissant brutalement tomber par terre. La malédiction du trésor des De VerBouc commençait à faire effet. L'Ancien sentait ses entrailles se dessécher et de grandes plaques noires lui couvraient le corps. Ses écailles étaient tombées à plusieurs endroits, et son ventre était maintenant vulnérable.

Les Vikings, bouche bée devant la démonstration de force du dragon, virent un béorite sortir du campement en courant. Armé d'une longue épée, l'homme-ours se lança à la poursuite du dragon. La bête monta dans les airs, se retourna d'un habile mouvement d'ailes et plongea à vive allure sur le brave guerrier. Comme l'Ancien allait cracher encore une fois son feu, l'hommanimal lança l'épée de toutes ses forces. La lame vint se loger directement dans le ventre du dragon. Le monstre plana un peu, puis alla percuter de plein fouet la montagne. L'impact fit trembler la terre en provoquant un éboulement de pierres sur la bête. Hulot Hulson dit la Grande Gueule venait de tuer d'un coup d'épée, comme son héros Sigurd, le dragon Ragnarök. La grande bataille de Ramusberget était maintenant terminée.

C'est à ce moment précis qu'Amos et Béorf arrivèrent à l'endroit où se trouvaient les troupes d'Harald aux Dents bleues. Ils s'étaient enfuis de l'antre du dragon par le passage des Brising et s'étaient ensuite dirigés à toute vitesse vers le champ de bataille. Surpris de voir tous les Vikings en bon état, Amos dit à Junos :

— Mais… vous ne vous êtes pas battus ?

— Non, ce sont les béorites qui ont terminé

cette guerre pour nous ! lança le seigneur de Berrion.

— Ils ont affronté seuls les gobelins ? demanda Béorf, inquiet.

— L'un d'eux vient tout juste, sous nos yeux, de tuer le dragon d'un seul coup d'épée ! répliqua Junos, en admiration devant un tel exploit. C'était... c'était grandiose ! D'ailleurs, regardez autour de vous. Toute l'armée est encore sous le choc... Les Vikings ont assisté au spectacle de leur vie !

— Et où sont-ils maintenant ? fit Amos.

— Oui, où sont-ils, répéta Béorf, et que sont-ils devenus ?

— Je ne sais pas, répondit Junos, perplexe. Banry m'a bien averti de ne pas m'approcher à moins d'être certain qu'ils sont tous morts ou tous redevenus humains. C'est ce qu'ils appellent la rage guerrière. Je ne voudrais pas me retrouver en face d'eux lorsqu'ils sont dans cet état !

— Mais que faisons-nous alors ? s'écria Béorf.

— Nous attendons, se contenta de dire Junos. Nous attendons... Il n'y a rien d'autre à faire.

Loin devant eux, les Vikings virent Hulot Hulson se relever. Il était redevenu humain. Des cris de joie et des applaudissements fusèrent de toutes parts. Le béorite venait d'accomplir un acte digne des plus grands héros des légendes anciennes. Personne ne sut que c'était, en réalité, la malédiction du trésor des De VerBouc qui avait eu raison de la bête de feu. L'épée n'avait fait que blesser faiblement l'animal déjà moribond.

Un à un, les hommanimaux sortirent du camp des gobelins. À travers le feu et la fumée, ils apparurent comme des demi-dieux rescapés d'un difficile voyage en enfer. Les béorites étaient dans un état lamentable. Ils boitaient et avaient du sang de gobelin partout sur le visage. Certains avaient de profondes blessures. Helmic avait le crâne fendu et Banry semblait avoir un bras bien amoché. C'est Goy Azulson qui s'était fait écraser par le dragon et, porté par son frère Kasso, il avait les deux jambes cassées. Alré, s'étant fait mordre, saignait abondamment à l'épaule et à la cuisse. Rutha Bagason, encore étourdie par sa violente chute contre la paroi de la montagne, saignait du nez et avait de nombreuses contusions. Ils étaient tous dans un piteux état, mais ils étaient tous là ! Aucun d'eux ne manquait à l'appel. Malgré leur souffrance, les béorites chantaient à tue-tête, portés par leur victoire :

Nous sommes venus pour vaincre
Et nous allons au combat

Libres de nos corps
Libres de notre esprit
Libres de notre âme
Nous ne plierons pas
Nous ne faiblirons pas
Et si le soleil se lève encore demain
Ce sera avec nous !

Les Vikings se précipitèrent vers eux pour les féliciter. On monta rapidement des tentes de fortune pour y coucher les blessés. Banry fit signe à Amos et à Béorf de s'approcher. Il leur demanda :

— On m'a dit que Hulot Hulson avait tué le dragon d'un seul coup d'épée.

— Oui, confirma Amos. C'est ce que j'ai entendu, moi aussi !

— Et ce dragon ? Il était en possession de tous ses moyens ou…

— C'est une longue histoire, mais disons que, Béorf et moi, nous avons un peu aidé Hulot en jetant une malédiction sur la bête.

— Je me disais aussi ! lança Banry en riant. Cet exploit-là, nous allons en entendre parler encore longtemps.

— D'ailleurs, ajouta le jeune porteur de masques, tu me fais penser qu'il faut absolument refermer le trou de la grotte du dragon. Son trésor est encore là et personne ne doit y toucher. Si quelqu'un avait le malheur d'en prendre une seule pièce, il connaîtrait une mort atroce.

— Dommage ! s'exclama Banry. Nous aurions bien pris quelques bijoux pour faire des cadeaux aux gens d'Upsgran.

— Nous avons tout ce qu'il faut pour faire de magnifiques cadeaux ! dit fièrement Béorf en renversant son sac.

Des colliers, des bagues, des bijoux et des pierres précieuses tombèrent de son bagage. Le gros garçon expliqua :

— En fouillant le trésor pour trouver ta pierre de puissance, Amos, je me suis dit que ce serait dommage de ne pas emporter un peu de ce trésor. Rien de cela n'est maudit, car je l'ai pris avant que tu ouvres la grande porte vers De VerBouc.

— Tu es comme ton père, Béorf ! fit Banry en riant. Tu es un garçon plein de surprises !

— Et ce n'est pas tout ! Regarde ceci !

Béorf montra l'œuf de dragon à son oncle.

— OH ! GRAND DIEU ! s'écria le béorite. Mais qu'allons-nous faire de cela ? C'est bien… un… c'est bien un œuf de dragon ?

— Oui, acquiesça Amos. Je veux le ramener à Upsgran et demander conseil à Sartigan.

— N'en parlez à personne dans ce cas, leur conseilla Banry. Si quelqu'un savait que vous amenez avec vous une bête de feu, vous pourriez avoir de gros problèmes.

— Très bien, répondit Amos. Nous serons très vigilants. Personne n'en saura rien.

Les deux garçons quittèrent les lieux en cachant bien l'œuf dans un sac. Amos se retourna vers Béorf et lui dit :

— Je te fais un cadeau... Comme tu es celui qui, de nous deux, a le plus souvent l'occasion de se battre en corps à corps, je te donne mon collier.

— C'est vrai ! s'écria Béorf, aussi content qu'ému.

— Il te sera plus utile qu'à moi, continua Amos en lui tendant le collier. Tiens, prends-le ! Tu disposes maintenant d'un petit bataillon de cent molosses hurlants pour te servir.

— Merci beaucoup, Amos. C'est vraiment gentil de ta part...

— De toute façon, j'en profiterai sûrement autant que toi, puisque nous sommes toujours ensemble.

La nuit tombait sur la montagne de Ramusberget et déjà, autour du feu, la légende de Hulot Hulson, l'homme qui, comme Sigurd, avait tué un dragon d'un unique coup d'épée, commença à être racontée. De la bouche des témoins aux oreilles des conteurs, l'histoire serait amplifiée et embellie pour séduire, pendant des siècles, l'imaginaire des peuples du Nord.

19

Les révélations des Brising

Après un repos bien mérité sur les lieux de la bataille, les béorites furent prêts à entreprendre le voyage de retour. On fabriqua des civières pour ceux qui ne pouvaient pas marcher et, lentement, les armées prirent la route du royaume du roi Harald aux Dents bleues. On avait préalablement envoyé un messager pour annoncer la victoire des troupes et rapporter les exploits des béorites. Avant le départ, tel que promis, les Brising étaient réapparues à Amos et à Béorf pour leur confier un grand secret, celui du bijou de Freyja qu'on appelait aussi le collier de Brisingamen.

Elles racontèrent, toujours d'une seule et même voix, que ce bijou, créé sous la terre par quatre nains joailliers de grand talent, brillait telle une constellation d'étoiles. Autour du cou de la déesse Freyja, il irradiait de mille feux et éblouissait par son éclat. On le comparait aux pommes de lumière de l'arbre de vie de Braha, la cité des morts.

Amos eut la vague impression d'avoir déjà entendu ces mots auparavant, mais il ne parvenait pas à se souvenir où exactement. Il savait de quoi parlaient les Brising. Braha, l'arbre de vie et les pommes de lumière, tout cela lui était familier. Pourquoi ? Comment ? Amos n'en avait aucune idée. Il oublia cela et continua à écouter attentivement le récit.

À cause des pouvoirs du collier de Brisingamen, chaque fois que Freyja pleurait — et elle pleurait beaucoup, en particulier lorsqu'elle cherchait son mari —, elle fabriquait des trésors avec ses larmes. Les gouttes d'eau qui tombaient de ses yeux transformaient les pierres en or. Ce que les légendes ne disaient pas, c'est que la déesse avait trompé les nains pour s'emparer du collier. Odin, le dieu suprême des Vikings, l'avait chassée de son royaume en l'accusant d'avilir les dieux. Une grande guerre avait alors éclaté entre les dieux, et beaucoup d'hommes avaient perdu la vie sans qu'il y eût de gagnants. Le conflit entre Freyja et Odin demeurait encore à ce jour très virulent et la déesse, pour provoquer son ennemi, avait jeté, plusieurs années auparavant, une malédiction sur les béorites.

— Mais, pourquoi sur les béorites en particulier ? demanda Amos, très surpris.

— Parce que les béorites sont une création d'Odin ! répondirent les Brising.

Odin avait créé la race des hommes-ours parce qu'il voulait marier l'esprit de l'un avec la force de l'autre. Jamais le dieu n'avait autant aimé une de ses créations. Lui-même s'identifiait aux béorites et il ne se lassait pas de les voir évoluer. Freyja, déesse de la Fécondité, avait alors lancé sa malédiction et maudit tous les nouveau-nés de cette espèce.

— Mais comment se fait-il que j'aie échappé à cette malédiction ? fit Béorf.

— Ça, c'est un grand mystère. Peut-être que ton père avait trouvé une espèce d'antidote. En fait, tu es le dernier des béorites. Tous les autres enfants meurent en bas âge. Si tu vis jusqu'à un âge avancé, tu demeureras le seul représentant de ta race.

— Mais..., intervint Amos, y a-t-il moyen de faire quelque chose? Existe-t-il une façon de les aider?

— Vu que le père de Béorf est mort avant d'avoir pu révéler le fruit de ses recherches, il ne reste que Freyja. Elle seule peut lever la malédiction qui pèse sur les béorites, répondirent les créatures des bois. Même Odin n'a pas ce pouvoir.

— Comment faire pour convaincre Freyja de nous laisser vivre demanda Béorf. Je suis prêt à faire n'importe quoi pour sauver mon peuple et donner un avenir à ma race.

— Nous sommes les Brising, nous sommes les gardiennes du collier sacré de la déesse. Nous savons qu'il existe une île, loin dans la mer du Nord, consacrée à Freyja. C'est là qu'il faut vous rendre pour parler directement à la déesse et la convaincre de lever la malédiction qui pèse sur vous.

— Sera-t-elle seulement capable d'entendre notre requête ? s'inquiéta Béorf. Après tout, nous sommes des créatures d'Odin. Elle sera peut-être en colère si nous foulons le sol de son île !

— Vous nous avez rendu un immense service en tuant le dragon. Notre sœur repose maintenant en paix. Son âme est libérée de la bête de feu et nous la sentons heureuse et légère. Lorsque Freyja viendra chercher son collier, nous parlerons en votre faveur. Nous sommes ses créatures et la déesse nous accorde un grand respect.

— Nous savons maintenant ce que nous avons à faire pour le bien des béorites ! dit

Amos. Je suppose, Béorf, que tu voudras continuer le travail de ton père et aller plaider votre cause sur l'île sacrée !

— C'est mon désir le plus cher ! répondit solennellement le gros garçon. Tu m'accompagneras, Amos ?

— Oui, mon ami. D'autant plus que c'est toi maintenant qui as le collier des molosses hurlants... Si je veux être en sécurité, il faut que je te suive !

— Très bien ! lança fièrement le gros garçon aux Brising. Dites à la déesse Freyja qu'elle aura bientôt de la visite sur son île. Je suis certain que les guerriers d'Upsgran voudront aussi être du voyage.

Les créatures disparurent dans les bois, et les deux garçons rentrèrent au campement. Alors qu'ils marchaient côte à côte, Béorf dit :

— Tu sais, j'ai l'impression de mieux comprendre mon père, maintenant. J'aurais tant aimé qu'il soit là pour me voir ! Je pense qu'il serait fier de moi.

— Moi aussi, je m'ennuie de mon père, confia Amos. J'aurais bien aimé lui raconter comment nous avons roulé le dragon dans la farine ! On a fait du bon boulot et je voudrais pouvoir partager cette victoire avec lui...

— Mais j'y pense, l'interrompit Béorf, ta mère, il faut d'abord essayer de la retrouver.

— Tu as ta quête et j'ai la mienne... Si tu veux, nous essayerons de faire les deux ensemble !

— Je te l'ai déjà dit, tant qu'il y aura du pain sur la planche, je te suivrai ! s'écria Béorf en rigolant. J'aime trop le pain pour refuser une aventure !

20
Le retour à Upsgran

Les béorites furent accueillis en héros sur les terres d'Harald aux Dents bleues. Ourm le Serpent rouge et Wasaly de la Terre verte, les deux autres rois vikings, les attendaient avec leurs armées. Ils avaient aussi vaincu leurs ennemis. Ourm sur la mer en éliminant les merriens, et Wasaly sur le continent en traquant les bonnets-rouges. Les rois chantaient joyeusement des hymnes à leur victoire pendant que des cochons, des bœufs et des moutons cuisaient lentement sur la broche. Pour une des rares fois de leur histoire, les trois nations vikings étaient rassemblées dans la même fête et, pour la première fois, des béorites partageaient leur table. Des cris de joie fusaient de toutes parts et le vin, la bière et l'hydromel coulaient à flots. On organisa des jeux et des épreuves pour distraire les convives. Des musiciens se relayaient à tour de rôle afin de maintenir la bonne ambiance de cette magnifique fête.

Debout sur une table, Helmic dansa toute la soirée pendant qu'Alré, remis de ses blessures, gagnait le concours du lancer de la hache. Hulot Hulson dit la Grande Gueule fut porté en triomphe et dut raconter mille et une fois son exploit. À chaque récit, il ajoutait des détails, mais il terminait toujours en disant :

— Mes amis… dans la vie, j'ai appris une chose importante, et cette chose est la clé de MA victoire sur l'immense, le terrible et très DANGEREUX DRAGON que J'AI TUÉ, moi-même et sans l'aide de quiconque, d'UN SEUL et UNIQUE coup d'épée ! La vie m'a enseigné ceci : il faut remplacer la PEUR par la CONNAISSANCE ! J'ai compris cela tout seul et je remercie le ciel de m'avoir si bien inspiré !

En réalité, comme au moment de son « acte héroïque » il était porté par sa rage guerrière, Hulot ne se souvenait de rien du tout. C'est en écoutant les autres guerriers rapporter son exploit qu'il s'était lui-même brodé un récit. Amos et Béorf riaient de bon cœur en l'écoutant déblatérer sur son courage et sa fougue. Ils connaissaient la véritable histoire, mais ils ne contredirent jamais les histoires du béorite. Hulot était devenu une idole, un symbole de la force et de la grandeur. Il ne fallait rien briser de cette image. Sartigan avait déjà dit à Amos que les vrais héros triomphaient toujours modestement et que leur plus grande satisfaction ne se trouvait pas dans les applaudissements de la foule, mais plutôt dans le travail bien fait.

La ville d'Harald aux Dents bleues était pleine à craquer et les célébrations durèrent une semaine entière. Les os cassés des béorites se ressoudaient à une vitesse étonnante. Les hommes-ours avaient un métabolisme et une constitution hors du commun. Ils guérissaient au moins quatre fois plus vite qu'un homme ordinaire. Banry put commencer à utiliser son bras quelques jours après la grande bataille et Goy marchait sur ses jambes huit jours après s'être fait écraser par le dragon. Les blessures d'Alré et de Rutha disparurent aussi très rapidement. Quelques bonnes nuits de sommeil, de la nourriture en abondance et un bain d'eau glacée tous les jours faisaient de véritables miracles pour cette race de guerriers. À les voir aussi forts et invincibles, il paraissait maintenant évident que les béorites étaient une création du grand Odin.

Les hommanimaux quittèrent les côtes des Vikings par une belle journée froide et prirent la mer en direction de leur village. Encore une fois, leur drakkar était plein à ras bords de nourriture et d'équipements pour le voyage. Banry se fit moins exigeant envers les rameurs au retour qu'à l'aller. Le drakkar voguait doucement en se laissant bercer par les vagues. Junos était aussi du voyage. Il avait été convenu que les prisonniers, ceux qui avaient été libérés des griffes des gobelins, seraient reconduits chez eux par les navires du roi Ourm le Serpent rouge, mais le seigneur de Berrion avait voulu suivre Amos et Béorf.

— Que vas-tu faire maintenant, Junos ? demanda Amos. Berrion n'existe plus...

— Je vais la reconstruire ! Cette ville est un symbole pour moi, et mes chevaliers reviendront lorsque je poserai la première pierre. J'imagine qu'ils ne sont pas tous morts ! Je les ai nommés les chevaliers de l'équilibre en ton honneur et maintenant que l'équilibre est revenu, nous renaîtrons !

— Barthélémy, à Bratel-la-Grande, pourra sûrement te donner un coup de main. Je pense qu'il te doit une fière chandelle !

— C'est surtout grâce à toi qu'il est monté sur le trône, mais je pense qu'il ne refusera pas de me tendre la main. C'est un homme bon. Et toi, Amos, que feras-tu ?

— Je vais essayer de retrouver ma mère. Avec

les indications que tu m'as données, je pense pouvoir suivre la trace de ceux qui la tiennent en esclavage. Elle aura peut-être été revendue à quelqu'un de bien... Enfin, je l'espère pour elle.

— Ne perds pas courage, dit Junos en essayant de réconforter son ami. Tu la retrouveras, j'en suis certain. Tu sais que tu seras toujours le bienvenu à Berrion et que ma demeure te sera toujours grande ouverte. Cette ville, une fois reconstruite, sera la plus belle des cités du continent et tu y reviendras avec fierté!

— Je n'en doute pas, Junos.

L'équipage fit une escale sur l'île de Burgman pour se reposer. Après un copieux repas, une bonne baignade dans l'eau glacée et une longue nuit de sommeil, les béorites reprirent leur route. Amos n'avait plus le mal de mer et il commençait même à aimer naviguer. L'œuf de dragon était bien caché dans le sac de Béorf et personne ne se doutait de sa présence. Les garçons avaient également mis leurs oreilles d'elfe en sécurité, dans les affaires d'Amos. La petite partie du trésor que Béorf avait volée à l'Ancien fut distribuée également entre les membres de l'équipage. Au loin apparut le village d'Upsgran.

Dans le crépuscule de cette fin de journée, le village était en pleines festivités du solstice d'hiver. Le soleil avait gagné encore une fois son combat contre les ténèbres, et les jours seraient de plus en plus longs jusqu'à l'été. Toutes les maisons étaient décorées de houx et de gui. Les femmes du village portaient toutes une grande robe blanche et, sur la tête, une couronne de lierre sur laquelle étaient posées de petites chandelles. De loin, elles étaient lumineuses et ressemblaient à des anges. Upsgran embaumait la cannelle et le pain d'épice ! Une douce musique s'élevait de la taverne, et l'équipage entendit clairement l'air langoureux d'une chanson traditionnelle de marins.

Les hommanimaux pleurèrent à chaudes larmes en mettant le pied à terre. Le village entier accourut pour les accueillir chaleureusement. Ils étaient tous revenus sains et saufs à la maison. Dans l'allégresse, les guerriers offrirent leurs présents aux membres de leur famille. Au milieu de tous ces gens qui, en riant, s'étreignaient, se donnaient l'accolade et échangeaient de viriles poignées de main, Sartigan s'approcha d'Amos et lui dit :

— Je... content voir toi ! Béorf aller pas mal ?

— Nous allons très bien tous les deux, confirma le garçon. Mais vous parlez notre langue ?

— Difficile... mais apprendre ! Tu... oreilles ? demanda Sartigan.

— Oui, je les mets..., acquiesça Amos en s'exécutant.

— Ce sera maintenant à toi de me raconter tes histoires ! lança le vieillard, soulagé de pouvoir enfin parler sa langue. Vous avez réussi à vaincre le dragon ?

— Oui et de belle façon, je pense… Enfin, Hulot vous racontera sûrement une histoire différente de la mienne, mais je vous assure que c'est moi qui ai la bonne version.

— C'est donc un très grand bonheur qui mérite d'être fêté ! Je savais que tu ferais du bon travail. Les bons maîtres doivent avoir confiance en leurs élèves. De plus, je sens en toi une magie nouvelle ! Est-ce que je me trompe ?

— Non, vous avez raison. J'ai intégré le masque de l'eau et je pense que l'équilibre de la magie se porte mieux.

— Très bien…, lança le vieil homme en applaudissant brièvement. J'ai une foule d'exercices pour toi qui t'aideront à bien faire circuler cette nouvelle énergie.

— D'abord et avant tout, venez avec moi ! murmura Amos en saisissant le sac de Béorf. J'ai quelque chose à vous montrer…

Le garçon s'écarta de la foule avec Sartigan. Il s'assit sur une grosse pierre et dit en dévoilant l'œuf de dragon :

— J'ai reçu ce cadeau de la part de l'Ancien. Je voulais vous le montrer pour avoir votre avis !

Sartigan se figea. Pour la première fois

depuis qu'Amos le connaissait, le vieillard parut désarçonné. Il était incapable de parler. Il essaya bien de balbutier quelque chose, mais rien de cohérent ne sortit de sa bouche. Il finit par demander :

— Est-ce bien… ce que je… je crois… Est-ce un… un œuf de… de dragon ?

— Oui, c'est exactement cela ! N'est-ce pas merveilleux ? Nous aurons peut-être la chance de réintroduire une espèce dans ce monde en lui apprenant à collaborer avec les humains. Ce petit n'est pas corrompu. Nous pouvons l'éduquer et lui apprendre le respect de la vie. Qui sait, c'est peut-être une nouvelle alliance qui naîtra de nos actions… C'est véritablement un nouveau jour qui se lève pour ce monde !

Le vieillard se frotta les yeux, toucha l'œuf et dit d'un air songeur et d'une voix profonde :

— Et si ce bonheur se transformait en malheur ?

21
La grotte de Ragnarök

Dans la noirceur et la froideur de la grotte du dragon, sur la terre gelée et maintenant déserte de Ramusberget, un son de coquille brisée se fit entendre. L'entrée de la grotte avait été solidement refermée. Les Vikings avaient réussi à provoquer plusieurs éboulements de rochers, et d'énormes pierres empêchaient maintenant l'accès à l'intérieur de la montagne. La grande porte s'était, elle aussi, refermée définitivement après qu'eut été emportée la dernière pièce du trésor des De VerBouc.

Personne ne vit le petit être, personne n'entendit le bruit qu'il fit en naissant. Au milieu du trésor maudit, un cri de rage s'éleva. Un cri portant en lui le désespoir d'une créature qui arrive dans le monde nue et seule, sans parents pour la réchauffer, sans personne pour la nourrir et sans guide pour l'éduquer. Cette plainte résonna longuement sur les parois de la caverne et alla se perdre dans les nombreux couloirs creusés par les gobelins.

Le trésor maudit voyait naître une créature immunisée contre sa malédiction. Ce petit être serait le propriétaire à part entière de toutes les richesses. Il lui faudrait survivre en mangeant des insectes, en léchant les parois rocheuses pour y recueillir un peu d'eau. Il lui faudrait vaincre la peur du noir et des bruits étranges que colportaient les entrailles de la terre. Il grandirait dans ce sous-sol où, par la magie d'Amos, combattaient l'eau et feu dans un corps à corps d'ébullition et de vapeur. Il n'aurait pas de nom et pas d'âge, pas de souvenirs heureux et aucun respect pour la vie, à part la sienne. Il serait sauvage et indépendant, brutal et froid, sans morale et sans pitié. Son cœur serait comme cette caverne, glacial et inaccessible. Il ne serait pas au service d'un dieu ou d'une cause, mais indépendant et fier. Et toute sa vie, il la consacrerait à faire payer le monde entier pour son enfance sans joie, à se venger des humains qui avaient assassiné son unique parent.

Le petit être qui brisait actuellement sa coquille en pleurant sa solitude et son malheur, c'était l'enfant de Ragnarök. Un nouveau dragon avait vu le jour dans la grande montagne du Nord. Devant les pouvoirs du jeune porteur de masques, la bête de feu avait agi par instinct de survie. En donnant un de ses œufs, en sacrifiant un de ses enfants, le dragon cachait l'autre sous son ventre en espérant duper son adversaire. L'Ancien avait amadoué le jeune garçon en protégeant ce qu'il avait de plus cher au monde, sa descendance. Ce qu'Amos ignorait et que Sartigan, par contre, savait d'expérience, c'est qu'un dragon pond toujours deux œufs à la fois.

Lexique mythologique

LES DIEUX

BARON SAMEDI (LE) : Dans la tradition haïtienne du vaudou, le baron Samedi est un des gardiens du chemin menant au monde des morts. Il porte toujours un chapeau haut-de-forme et une canne.

FREYJA : Cette déesse de la mythologie germanique est parfois connue sous le nom de Freya ou de Frea. Fille de Njord, dieu de la Mer dans le panthéon scandinave. Symbole du désir, elle est toujours reliée à la fécondité.

LIU : Prince céleste de la mythologie chinoise, il règne sur l'agriculture en veillant à la croissance du blé, du millet, de l'orge et du riz. Il se présente sous la forme d'un jeune homme doté d'un grand pouvoir charismatique.

MANANNAN MAC LIR : Dieu celtique des Eaux, il se promène sur les vagues des océans dans un chariot tiré par différentes créatures de la mer. On le voit généralement habillé d'une armure de coquillages et il porte à sa ceinture une immense épée.

ODIN : Il est le chef des dieux de la mythologie scandinave et germanique. On le voit souvent assis sur son trône d'où il surveille les neuf mondes. Ses deux infatigables corbeaux lui servent de messagers et voltigent constamment autour de lui. Odin a sacrifié un de ses yeux pour boire à la fontaine de la sagesse. À Valhalla, un immense palais qui se trouve dans la forteresse d'Asgard, c'est lui qui préside le conseil des dieux nordiques.

SIGURD : Il est le plus célèbre des héros islandais. Sigurd planta son épée dans le ventre du dragon Fafnir. Même si son acte héroïque lui apporta une immense renommée et de grandes richesses, sa vie fut brisée par une malédiction.

THOKK : Les peuples germains la voyaient comme une géante de glace au cœur de pierre. Elle est connue pour avoir refusé de verser une larme pour l'âme du gentil dieu Balder. À cause de cet acte, elle fut condamnée aux tourments de l'enfer.

LES CRÉATURES DE LÉGENDE

BONNET-ROUGE : Il est un des plus dangereux et des plus vicieux gobelins ayant vécu sur la Terre. Vivant dans les vieux châteaux abandonnés, il teint son bonnet dans le sang de ses victimes.

BRISINGS (LES) : Elles sont aussi connues sous le nom de Bristling. Hormis le fait qu'elles sont les gardiennes du collier de Brisingamen, qui appartient à Freyja, on sait peu de choses à leur sujet.

FÉE DES CAMPANULES : Petite créature des forêts, la fée des campanules est crainte en raison de ses nombreux pouvoirs. Il est extrêmement risqué de rencontrer une de ces fées parce qu'elles se trouvent toujours aux endroits où agissent les charmes et les enchantements des elfes. Elles sont synonymes de gros problèmes.

GOBELIN : Les gobelins sont les bandits et les voleurs du royaume des fées. Ils sont généralement petits et taquins. Il existe plusieurs races féroces de gobelins.

DRAGON : De la taille d'un éléphant, les dragons ont vécu en Europe, au Moyen-Orient, en

Asie Mineure, en Inde et en Asie du Sud-Est. Selon les légendes, ils habitent dans les cavernes en terrain montagneux et peuvent aisément vivre plus de quatre cents ans.

KELPIE : En gaélique, on appelle les kelpies « each uisge » ou « tarbh uisge », ce qui signifie « taureau des eaux ». Ils vivent dans les lacs et les rivières, ont la taille d'un cheval et appartiennent à la mythologie écossaise et irlandaise.

LICORNE : D'après les légendes, les licornes disparurent de la surface de la Terre lorsque Noé oublia d'en prendre un couple à bord de son arche. Elle est, avec le dragon, la plus connue des créatures fabuleuses de la planète. D'une longévité de quarante à soixante ans, la licorne existerait encore dans les forêts de l'Inde et les terrains boisés de toute l'Eurasie.

MERRIEN : En Irlande, les habitants des mers se nomment les « merriens ». Ils se distinguent facilement des autres créatures aquatiques à cause du bonnet rouge à plumes qu'ils portent toujours sur la tête. Ce chapeau magique les aide à atteindre leurs demeures dans les profondeurs océaniques. Les femelles sont très belles et leur apparition est perçue comme le présage d'une tempête. Les merriens viennent parfois sur la terre sous forme de petits animaux sans cornes.

MOLOSSE HURLANT : Dans toute l'Europe, les molosses hurlants sont également appelés « chiens noirs » ou « chiens du diable ». On les trouve près des villes et des villages. Ils accompagnent sur la route les voyageurs solitaires et annoncent, à celui qui les voit, un décès dans la famille.